CHASSEURS DE LÉGENDES

La colère de la Dame blanche

Catalogage avant publication de Bibliothèque et Archives nationales du Québec et Bibliothèque et Archives Canada

Bonin, Pierre-Alexandre, 1983-
La colère de la Dame blanche
(Chasseurs de légendes ; tome 1)
Pour les jeunes de 13 ans et plus.
ISBN 978-2-89770-102-4

I. Titre.

PS8603.O554C64 2017 jC843'.6 C2017-940518-7
PS9603.O554C64 2017

Dépôt légal – Bibliothèque et Archives nationales du Québec, 2017
Bibliothèque et Archives Canada, 2017

Direction éditoriale : Sylvie Roberge
Direction littéraire et artistique : Thomas Campbell
Révision : Josée Latulippe
Conception de la couverture : Dorian Danielsen
Mise en pages : Mardigrafe

Financé par le gouvernement du Canada

Conseil des arts du Canada
Canada Council for the Arts

Nous remercions le Conseil des arts du Canada de l'aide accordée à notre programme de publication.

Cet ouvrage a été publié avec le soutien de la SODEC.
Gouvernement du Québec – Programme de crédit d'impôt pour l'édition de livres – Gestion SODEC.

Bayard Canada Livres
4475, rue Frontenac, Montréal (Québec) Canada H2H 2S2
edition@bayardcanada.com
bayardjeunesse.ca

Imprimé au Canada

Offert en version numérique

Pierre-Alexandre Bonin

CHASSEURS DE LÉGENDES

La colère de la Dame blanche

bayard
CANADA

À mon épouse, Geneviève, et à mes enfants,
Béatrice, Philippe et Louis.
Votre amour me soutient et me pousse
à donner le meilleur de moi-même.

PROLOGUE

La température est exceptionnellement clémente en cette fin septembre, même s'il y a peu de gens dans les rues de Sainte-Geneviève-de-Batiscan. Le calvaire de la Rivière-à-Veillet, une attraction touristique mineure durant la haute saison, est désert. Le Christ sur sa croix semble compter les minutes qui le séparent d'une délivrance qui n'arrivera jamais. Alors que la cloche de l'église Sainte-Geneviève sonne dix heures, un homme s'approche nonchalamment du sanctuaire en bois blanc. De taille moyenne, il a des traits réguliers, et les rides au coin de ses yeux laissent croire qu'il sourit souvent. Ses longs cheveux noirs sont attachés en queue-de-cheval par un lacet de cuir. Le talon de ses bottes de cowboy frappe le sol à chacun de ses pas. Malgré la chaleur de l'avant-midi, il porte un lourd manteau en poils de castor, ouvert sur une chemise de bûcheron boutonnée jusqu'au cou.

Il gravit les quelques marches du calvaire en balançant un sac de jute de sa main gauche. Le contenu du sac produit un bruit de frottement, comme si plusieurs objets s'y entrechoquaient. Arrivé devant le Christ et sa croix, il dépose son fardeau et regarde autour de lui. La cloche a terminé de sonner et tout est calme. D'un étui attaché à sa ceinture, l'homme tire un long couteau de chasse. Il glisse son pouce sur le fil de la lame et s'entaille la peau, d'où coule un mince filet de sang. Il porte son doigt à sa bouche et suce le liquide cuivré en souriant. Il dépose l'arme sur le sol, puis ouvre la poche de jute. Il en sort six cierges noirs, qu'il dispose en cercle, devant la croix. Il plonge de nouveau la main dans le sac et en tire une poule noire qui caquette.

Le volatile sous un bras, il fouille dans la poche gauche de son jeans pour y trouver un briquet jetable, avec lequel il allume les cierges. Puis, brandissant le couteau, il décapite la poule d'un large mouvement du bras, malgré l'agitation de l'animal, qui s'époumone en battant des ailes. Avec le sang qui jaillit, il trace rapidement un pentagramme au centre du cercle formé par les bougies. Une fois son dessin terminé, il jette dédaigneusement le cadavre du volatile derrière lui. Toujours en souriant, il lance, à l'attention du Christ, cloué à sa croix :

— Eh bien, qu'attends-tu ? Je n'ai pas toute la journée devant moi ! Je sais que j'ai attiré ton attention. Alors, tu te montres ou je m'en vais ?

À peine l'homme a-t-il terminé de parler qu'une puissante odeur de soufre jaillit. Nullement incommodé, il se contente de fixer avec attention le pentagramme au centre du cercle de cierges. Au bout de quelques secondes, une fumée rougeâtre s'en élève et remplit l'intérieur de l'édicule avant de s'effilocher vers le terrain avoisinant. Lorsqu'elle se dissipe, un homme se tient debout à l'intérieur du dessin ensanglanté. Ses yeux noirs aux pupilles verticales luisent d'une lueur cruelle. Ses cheveux gominés sont ramenés vers l'arrière pour dégager son front, d'où pointent deux cornes noires. Il est vêtu d'un complet noir et d'une chemise rouge vif, le tout assorti d'un haut-de-forme et d'un mouchoir de poche. Des jambes de son pantalon émergent deux sabots, fendus comme ceux d'une chèvre. Il se tourne vers celui qui l'a invoqué de manière si effrontée, prêt à lui faire regretter son attitude condescendante. Mais avant d'avoir le temps d'ouvrir la bouche, celui-ci l'interrompt :

— Oh, c'est très gentil de ta part d'avoir fait la totale ! L'odeur de soufre, la fumée, même les cornes, les yeux de chat et les sabots y sont ! Ce n'était pourtant pas nécessaire, ajoute-t-il, narquois.

L'homme cornu serre les poings jusqu'à ce qu'il sente ses ongles s'enfoncer dans ses paumes. Puis, d'un ton glacial, il s'adresse à l'invocateur imprudent :

— Comme tu sembles savoir exactement à qui tu t'adresses, tu peux me dire pourquoi tu as tant envie de mourir ? Tu t'imagines que je vais t'épargner parce que tu as été capable de m'invoquer ?

Loin d'être impressionné, son interlocuteur réprime un bâillement :

— Garde ça pour les rares croyants qu'il te reste ! D'ailleurs, quel effet ça fait, de ne plus être craint que par une poignée de vieux ? Il y a à peine soixante-dix ans, tu étais encore une figure qui inspirait la peur. Et regarde-toi, maintenant ! Tu en es réduit à accourir au premier rituel le moindrement bien construit, dans l'espoir de grappiller l'âme d'un adolescent en manque de sensations fortes. Tu es tombé bien bas, mon pauvre…

Au lieu de répondre, l'homme aux yeux de chat pousse un grognement sauvage et se précipite vers celui qui ose se moquer de lui afin de l'étrangler. Contre toute attente, ce dernier repousse sans mal l'attaque, comme si son assaillant cornu n'avait aucune force. Son sourire s'agrandit encore :

— Allons, voyons ! Nous sommes deux personnes civilisées ! La violence ne résoudra rien. Du moins, pas dans ce cas précis. Vois-tu, je me doutais que tu ne serais pas nécessairement d'humeur conciliante. Voilà pourquoi j'ai choisi soigneusement le lieu de notre rendez-vous. Le calvaire agit non seulement comme un écran contre tes pouvoirs, mais en plus, on se trouve sur une terre consacrée, avec une église juste à côté. Autant dire que tu es totalement inoffensif. Alors, tu vas m'écouter, maintenant ? Ou as-tu encore un peu d'énergie à dépenser inutilement ? Je te conseille de te tenir tranquille, je te promets que tu ne le regretteras pas.

Ébranlé par sa faiblesse et par la tirade qu'il vient d'entendre, le Diable serre les dents et se contente d'acquiescer silencieusement.

— Parfait ! Donc, comme je te le disais, j'ai une offre à te faire. Mais d'abord, que dirais-tu de récolter autant d'âmes que tu le désires ?

— Que veux-tu dire par là ?

— Je te propose de prendre toutes les âmes dont tu pourras t'emparer. Ton champ d'action sera restreint au Québec pour commencer, mais ce n'est qu'un début. Si notre collaboration s'avère fructueuse, qui sait ce que l'avenir nous réserve ? Avoue que c'est tentant de prendre ta revanche sur ces pauvres mortels qui ont osé se débarrasser de toi comme on range un vêtement qui n'est plus à la mode !

— Qu'y gagnes-tu en retour ?

— Ah ! Je savais que tu étais moins bête que tu en avais l'air ! Je vais être clair : les âmes ne m'intéressent pas. J'ai d'autres projets pour ces braves gens. Je compte bien m'amuser, mais pour ça, j'ai besoin de toi. D'où mon offre, extrêmement avantageuse.

— Où est le piège ? Que me caches-tu ?

— Rien qui puisse nuire à ta récolte, je te le promets. Tu auras tous les bénéfices, sans les inconvénients. C'est la même chose de mon côté.

— Que veux-tu en échange ?

— J'ai un service à te demander. Mais ne t'en fais pas, tu vas trouver un certain plaisir à me le rendre. Vois ça comme une forme de bonus !

— Que dois-je faire ? Dis-le-moi, qu'on en finisse, s'impatiente le Diable.

— Malheureusement, ce n'est pas si simple. Je dois encore terminer certains préparatifs. Je voulais d'abord savoir si je pouvais compter sur ta collaboration. Ne t'inquiète pas, je te dirai tout ce que tu auras besoin de savoir en temps et lieu.

— Tu penses vraiment que je vais me faire avoir aussi facilement ? Je ne compte plus les pactes que j'ai réalisés. Le tien pue l'arnaque !

— Je vois que je ne t'ai pas encore convaincu. Comme preuve de ma bonne foi, je vais te faire un cadeau.

Plongeant la main dans son manteau, l'homme en sort un sifflet taillé dans de l'os :

— Tiens, prends ceci. Dans une semaine, souffle dedans, et je te rejoindrai. Comme ça, on évite la partie gênante où je te convoque comme dans un mauvais film d'horreur. À ce moment-là, on parlera de ce que j'attends de toi.

Le Diable saisit le petit objet et le regarde d'un air prudent, avant de le ranger dans la poche intérieure de son veston.

— Marché conclu. Mais je t'avertis : si dans une semaine j'utilise ce sifflet et que tu ne viens pas, je partirai à ta recherche. Et quand je t'aurai trouvé, je te démembrerai vivant. Me suis-je bien fait comprendre ?

— Tu pourrais difficilement être plus clair ! Maintenant que tout ça est réglé, il nous reste une dernière chose à faire, avant que nos chemins ne se séparent temporairement.

Cette fois, c'est de l'intérieur de son manteau que l'homme retire un calumet, ainsi qu'un petit sachet d'herbes séchées. Il prend son temps pour bourrer le fourneau, s'assure que celui-ci est bien rempli, puis, quand il est satisfait, il l'allume avec son briquet. Il en tire ensuite quelques bouffées qu'il recrache par les narines, avant de le tendre à son nouveau partenaire. Le Diable prend le calumet et répète les gestes qu'il a observés et qu'il interprète comme une manière de sceller leur entente. Une fois le contenu fumé en entier, l'homme au manteau de castor range la pipe et récupère son couteau. Il regarde le cercle de cierges noirs et le pentagramme de sang avec un large sourire :

— Je laisse ça ici, en guise de souvenir. Quant à toi, j'imagine que tu as hâte de retourner en bas. Tu dois avoir quelque chose sur le feu, ajoute-t-il en riant.

Sans attendre de réponse, il quitte l'édicule en sautant par-dessus les marches. Il se dirige vers l'église quand l'autre l'interpelle :

— Avec tout ça, tu ne m'as même pas dit ton nom.

Sans se retourner, l'homme répond :

— Ne t'en fais pas, tu le sauras bien assez tôt.

Puis il se remet en marche et s'éclipse au coin de l'édifice religieux. Le Diable, qui est encore dans le calvaire, ferme les yeux et disparaît dans un bruit de claquement de fouet.

1

Le ciel de cet avant-midi pluvieux de novembre est tellement bas que Sophie a l'impression que les nuages vont venir se déchirer sur la croix du clocher de l'église Saint-Jean-Baptiste. Elle marche lentement, sans chercher à éviter les nombreuses flaques qui parsèment le stationnement. Elle a aussi refusé le parapluie tendu par sa mère, en sortant de la limousine noire. Elle préfère laisser la pluie tomber librement sur sa tête et couler dans son cou. Elle frissonne et resserre les pans de son imperméable. À sa gauche, son père, venu de Valcartier spécialement pour l'occasion, regarde droit devant lui. À sa droite, sa mère essuie ses larmes d'une main, pendant que l'autre tient un parapluie assez large pour les abriter tous les trois.

Une fois au sec à l'intérieur, Sophie et ses parents se dirigent vers l'avant de l'église, après s'être signés machinalement. Devant l'autel se trouve un cercueil entouré de fleurs. Elle voudrait en détourner le regard, mais elle en est incapable. Lorsque sa mère lui touche l'épaule, Sophie sursaute, puis s'assoit à la place qui lui est réservée.

Quelques minutes plus tard, le prêtre sort de la sacristie, en tenant un encensoir dans ses mains. Il fait le tour du cercueil en balançant la chaîne d'argent, répandant dans l'église une fumée âcre et écœurante. Puis il retourne derrière l'autel et prend la parole :

— Nous sommes réunis dans la maison de Dieu aujourd'hui pour honorer la mémoire de Laurier Picard. Laurier était un homme bon, apprécié de tous. Il aimait rendre service et savait prêter une oreille attentive. Reconnu pour ses talents de sculpteur sur bois, il était aussi un conteur hors pair, qui faisait la joie des enfants et de leurs parents. Il a toujours cherché à honorer l'héritage de ses ancêtres et, malgré son départ de Wendake, toute la communauté huronne avait gardé de bons contacts avec lui.

Sophie écoute le prêtre d'une oreille distraite, concentrée sur sa peine et sur le vide immense qu'elle ressent. Comment pourra-t-elle se passer de la présence rassurante de son grand-père ? Qui va partager son amour des légendes et du folklore avec elle maintenant ?

Le bruit de la porte de l'église la tire de ses pensées. Elle voit un jeune homme qui tente de se trouver une place discrètement. Lorsqu'il est enfin assis, elle s'en désintéresse et revient au prêtre et à son homélie.

Une fois la célébration terminée, trois cousins de sa mère et son oncle s'avancent vers le cercueil pour le porter vers le corbillard. Ce dernier attend le cortège pour se mettre en route en direction du cimetière Sous-les-Étoiles. L'adolescente suit la procession et remarque distraitement que l'étranger de l'église s'est joint au groupe. Sophie se demande brièvement s'il s'agit d'un membre de sa famille élargie, puis s'en désintéresse aussitôt.

Les membres de la famille se dirigent vers leurs voitures sans dire un mot. Ils suivent le long véhicule noir qui roule lentement, une couronne de fleurs bien visible dans la lunette arrière.

Arrivée sur place, Sophie constate que les employés des pompes funèbres sont déjà là. Elle suit sa mère. Elles franchissent ensemble la grille de l'entrée, agrippées l'une à l'autre. Son père les suit à une courte distance. Elles trouvent rapidement l'emplacement de la tombe familiale, où le trou fraîchement creusé expose la terre nue, pendant qu'un contour de gazon synthétique donne une apparence de vie que Sophie trouve de mauvais goût. Le prêtre est là, ainsi que le fossoyeur. Elle constate avec soulagement que son oncle et sa tante maternels sont aussi présents. Elle s'empresse d'aller les rejoindre.

Son oncle la serre longuement dans ses bras. Elle profite de cette présence rassurante, où l'odeur du tabac à pipe se mélange à celle de sa crème après-rasage, une odeur qu'elle a toujours associée au frère de sa mère. Puis c'est au tour de sa tante de lui faire une accolade ; cette fois, ça sent bon la cannelle. Une fois les retrouvailles terminées, ils se regardent tous les trois avec un petit sourire triste. Sophie se retient pour ne pas éclater en sanglots lorsqu'elle voit son oncle pleurer en silence, laissant libre cours à sa peine. Sa tante lui tend un mouchoir en tissu, sans dire un mot. Il s'essuie les yeux avant de se moucher bruyamment :

— Je m'excuse, les filles. Vous savez à quel point je suis un grand sensible.

— C'est correct, mon oncle, maman a autant de peine que toi. Et moi aussi, d'ailleurs, ajoute-t-elle, après un instant de réflexion.

Puis elle se laisse enfin aller au chagrin qui menaçait de l'emporter depuis qu'elle est sortie de la voiture avec sa mère, quelques minutes plus tôt. Lorsqu'elle sent qu'elle a pleuré toutes les larmes de son corps, elle utilise le mouchoir de sa tante, tiré de l'inépuisable réserve cachée dans son sac à main. Sophie la remercie d'un signe de tête. Du coin de l'œil, elle aperçoit un mouvement. Quand elle se retourne, le jeune homme qui s'était joint au groupe dans le stationnement de l'église s'approche en souriant. Curieuse, elle tente de se souvenir où elle aurait pu l'avoir déjà vu.

Arrivé devant elle, il lui tend la main, qu'elle serre par réflexe :

— Bonjour, Sophie. Je voulais te dire à quel point je suis désolé pour ton grand-père. C'était un homme bon. C'est une grande perte pour nous tous.

Surprise, elle ne sait trop comment répondre. Elle opte donc pour la franchise et tente d'en savoir plus sur son mystérieux interlocuteur.

— Vous le connaissiez ? C'est étrange, c'est la première fois que je vous vois.

Il éclate de rire et secoue la tête, comme s'il s'en voulait d'avoir parlé trop vite.

— Tu es vraiment la petite-fille de Laurier, aussi directe que lui ! Pour répondre à ta question, disons que j'étais un ami et un collègue de ton grand-père. Nous avons travaillé ensemble sur plusieurs projets au fil des années. Il m'a beaucoup appris.

Confuse, Sophie tente de comprendre de quoi le jeune homme parle. Son grand-père n'a jamais mentionné de telles collaborations. Elle essaie de le faire parler davantage, mais elle aperçoit le prêtre qui fait signe à la famille et aux amis de se rapprocher de la tombe. Lorsqu'elle se retourne pour interroger le jeune homme, il est déjà en train de s'éloigner en direction de la grille du cimetière. Elle note mentalement de demander à son oncle et à ses parents s'ils le connaissent, puis elle revient s'abriter sous le parapluie de sa mère. Une fois la cérémonie et le rituel des condoléances terminés, Sophie monte dans la limousine qui les amène au Normandin de la rue de l'Église, où une salle a été réservée. Bien que son oncle et sa tante habitent Saint-Jean-Port-Joli, leur maison est trop petite pour accueillir tout ce monde.

Alors que les conversations s'entremêlent autour d'elle, Sophie pioche sans entrain dans son assiette et déplace la nourriture avec sa fourchette. Elle n'arrive pas à comprendre comment les gens peuvent manger d'aussi bon cœur alors qu'ils viennent d'enterrer un membre de la famille. Elle sent une boule se former dans sa gorge, mais elle déglutit péniblement pour chasser la sensation d'étouffement. Même si elle aimait beaucoup son grand-père, elle a seize ans et n'est plus une enfant. Une crise en plein restaurant est loin d'être la meilleure manière de rendre hommage à un homme qu'elle appréciait énormément. Elle prend donc son mal en patience, s'obligeant de temps à autre à avaler une bouchée, lorsque sa mère ou son père jettent un coup d'œil distrait de son côté. Sophie tient à leur montrer que tout va bien, même si c'est loin d'être le cas. Tout à sa peine, elle en oublie de mentionner à sa famille l'inconnu du cimetière.

Après une période qui lui semble interminable, la serveuse vient récupérer les assiettes vides et les différents membres de la famille s'étreignent une dernière fois, se promettant de garder le contact, avant de reprendre le chemin de la maison.

2

La semaine suivante, c'est le moment de s'acquitter d'une dernière formalité, dont Sophie se serait bien passée : la lecture du testament.

Comme le notaire est situé à Saint-Jean-Port-Joli, son père fait le voyage avec eux dans la voiture de sa mère. Assise à l'arrière, elle regarde le paysage défiler, insensible au silence tendu qui règne entre ses parents. Deux ans après leur divorce, ils sont toujours en froid. Sophie ne sait pas grand-chose de cette séparation. Depuis, ils réduisent leurs rencontres au minimum. Sophie, de son côté, profite de chaque visite de son père pour passer du temps de qualité, seule avec lui. Que ce soit en visitant l'aquarium de Québec, en allant faire du lèche-vitrines aux Galeries de la Capitale ou tout simplement en se promenant sur la terrasse Dufferin. Elle adore ces moments privilégiés, où ils discutent de ses cours, de ce qu'elle veut faire plus tard, ou même des gradés qu'il conduit, lorsqu'il est en mission avec l'armée. C'est probablement de lui qu'elle tient son habitude de rester en retrait dans un groupe, n'intervenant que lorsqu'elle a quelque chose de pertinent à dire.

Sa mère, quant à elle, est une artiste reconnue de la communauté huronne. Si le grand-père de Sophie était un sculpteur de talent, sa mère possède un don pour la peinture. Ses toiles représentent des thèmes et des motifs autochtones traditionnels. Même si son père est un Blanc, il a toujours soutenu sa mère dans sa démarche artistique. Sophie sait que c'est de son côté maternel qu'elle a hérité de son amour des légendes et du folklore.

Heureusement, le trajet jusqu'au cabinet du notaire ne dure que quelques minutes. Elle commence à avoir de la difficulté à supporter l'atmosphère qui règne dans la voiture, s'ajoutant à sa propre peine.

Lorsqu'ils sont parvenus à destination, sa mère la serre brièvement dans ses bras. Ils attendent l'arrivée de son oncle et de sa tante avant d'entrer dans le bâtiment qui abrite le bureau du notaire, maître Trépanier. Sophie s'attendait à voir un vieux monsieur voûté aux manières distinguées. Elle est donc surprise lorsqu'une jeune femme énergique d'une trentaine d'années se présente à ses parents et leur serre la main à tour de rôle. Elle espère que ce ne sera pas trop long ; elle est fatiguée et a hâte de rentrer à Québec, ne serait-ce que pour passer un peu de temps seule. Elle relève la tête au moment où maître Trépanier termine les formules d'usage et commence la lecture du testament :

— « À ma fille Justine, je lègue ma maison. Toutefois, c'est ma petite-fille Sophie qui pourra profiter de l'usufruit, ainsi que de tous les biens qu'elle contient. »

À ces mots, la notaire lève les yeux du document et adresse un sourire gêné à la mère de Sophie. Son oncle la regarde avec fierté, comme si elle venait de gagner à la loterie. Sophie le fixe en levant les sourcils. Elle ne comprend rien à ces termes juridiques. Maître Trépanier remarque sa confusion et précise, en souriant :

— Cela signifie que ta mère est propriétaire de la maison, mais que tu peux y habiter. Ce n'est qu'avec ton accord qu'elle récupérera tous les droits de la maison et qu'elle pourra la vendre. C'est une manière de partager un bien entre deux personnes.

Elle secoue la tête en riant nerveusement, puis reprend, en regardant cette fois les parents de Sophie :

— J'avoue que c'est la première fois que ce cas se présente. J'espère que ça ne vous cause pas de problèmes ?

La mère de Sophie secoue la tête et, d'un geste de la main, incite la jeune femme à poursuivre la lecture.

— « À ma petite-fille, Sophie, je laisse mon journal et ma plus belle collection de sculptures. Puisses-tu n'en avoir jamais l'utilité, mais t'en servir à bon escient en cas de besoin. »

En entendant cela, Sophie meurt d'envie de bombarder la notaire de questions. Mais elle n'ose pas l'interrompre et réfrène son énervement en attendant que maître Trépanier termine sa lecture.

— « Finalement, à mon fils Claude, je lègue mon bateau, avec tout mon attirail de pêche. Je sais que tu me l'as toujours envié. Il est maintenant à toi ! »

L'oncle de Sophie étouffe un sanglot avant de rire doucement. Il sort un mouchoir fraîchement pressé de sa poche de poitrine et s'essuie le coin des yeux, avant de remercier la notaire.

Lorsque maître Trépanier dépose le testament et leur demande s'ils ont des questions, Sophie prend sa mère de vitesse :

— De quelle collection s'agit-il au juste ? Et c'est quoi, cette histoire de journal ? Je ne savais pas que grand-papa en tenait un.

La notaire fouille brièvement dans ses notes avant de répondre :

— Pour la collection, il s'agit d'une vingtaine de sculptures représentant des créatures des folklores québécois et autochtones. Elle a été prêtée au musée des Anciens Canadiens, au printemps dernier. Je pense que l'exposition s'est terminée quelques semaines avant le décès de votre grand-père. Vous pourrez la récupérer quand vous le voudrez. Quant au journal, je vous le remettrai à la fin de notre rencontre. Par contre, je ne peux pas vous en dire plus à son sujet.

Avant que Sophie puisse la relancer, sa mère se lève et remercie maître Trépanier pour ses services. La notaire serre la main de tout le monde et ouvre un tiroir de son bureau, d'où elle tire une clé – celle de la maison de son grand-père, réalise Sophie –, ainsi qu'un cahier à la couverture de cuir. « Le journal de grand-papa, songe-t-elle. Je me demande ce qu'il peut bien y raconter. » Elle range précieusement le livre dans la poche de son imperméable avant de suivre ses parents à l'extérieur du cabinet de maître Trépanier.

Ces derniers discutent à voix basse avec son oncle et sa tante, mais les pensées de Sophie sont tournées vers le journal de son grand-père, sa collection de sculptures, mais surtout vers ses étranges paroles. Il n'a pourtant pas l'habitude d'être si mystérieux. Elle se demande ce qu'il a bien pu vouloir lui dire de manière détournée. Une fois Sophie et ses parents installés dans la voiture, sa mère se tourne vers elle :

— Sophie, chérie, il va falloir qu'on parle de la maison. Comme tu en as l'usufruit, je ne vais pas la vendre, même si on en a déjà une à Québec. Du moins, pas pour l'instant. Je ne comprends pas pourquoi papa a fait les choses de cette manière, mais je vais respecter ses volontés. Si jamais tu décides qu'on la vend, je mettrai la moitié de l'argent dans un compte pour tes études. D'ici quelques semaines, on prendra le temps d'aller voir les meubles et tout ce que la demeure contient. Tu pourras décider ce que tu fais avec tout ça. En attendant, ton oncle et ta tante ont proposé de s'en occuper et de prendre soin du terrain. Qu'en dis-tu ?

Sophie prend quelques secondes pour y réfléchir, mais ses pensées reviennent constamment aux dernières paroles de son grand-père et à son mystérieux journal.

— C'est une bonne idée, maman. Et ne t'en fais pas, on fera une vente de garage pour ce que je ne veux pas garder ou on donnera les choses à des organismes de charité.

Sa mère sourit dans le rétroviseur, fière de la maturité de sa fille :

— Je suis d'accord avec toi. Je pense qu'on va faire moitié-moitié : donner les vêtements, les meubles et les livres à un organisme de charité et vendre le reste. Oh ! et tu as tout à fait raison, je vais proposer à Claude de passer à travers tout ça en premier. On lui doit bien ça, d'autant plus qu'il va nous donner un bon coup de main avec la maison.

Les détails réglés, son père lui indique qu'il vient jusqu'à Québec pour récupérer sa voiture, avant de retourner à la base militaire de Valcartier. Déçue, Sophie tente de voir si elle peut profiter de sa présence pour le reste de la journée :

— Tu dois vraiment y retourner aujourd'hui ? J'aimerais passer encore un peu de temps avec toi. On peut juste aller voir un film au Clap et manger un burger Chez Victor. Tu serais de retour sur la base demain matin.

— Écoute, je vais appeler Gendron et voir s'il peut me remplacer. Mes supérieurs vont comprendre la situation.

— Merci, papa.

— Attends un peu. Il y a une dernière condition, et tu la connais.

Sophie, baisse la tête, dépitée. Oh oui ! elle le sait bien : il lui faut obtenir l'approbation maternelle. Elle lui adresse donc un sourire enjôleur dans le rétroviseur.

Au profond soupir poussé par sa mère, la jeune fille sait qu'elle a gagné. Le trajet vers Québec se déroule sans incident. L'adolescente laisse ses pensées se tourner vers son étrange héritage. Elle a hâte d'être de retour chez elle pour pouvoir se plonger tranquillement dans le journal de son grand-père. Il faudra aussi qu'elle téléphone au musée des Anciens Canadiens pour savoir quand elle pourra récupérer les sculptures. Épuisée par sa journée, elle monte se coucher dès qu'elle arrive à la maison.

3

Sophie marche entre les allées d'un cimetière. Elle le reconnaît tout de suite, c'est le cimetière Sous-les-Étoiles. Mais contrairement au jour des funérailles, il fait soleil, et le temps est doux. L'adolescente regarde les stèles autour d'elle, cherchant à se repérer. Elle remarque qu'elle tient un bouquet de fleurs à la main, mais elle ne se souvient pas de l'avoir acheté. D'ailleurs, elle n'a aucune idée de la manière dont elle est arrivée ici. Elle continue de déambuler entre les tombes, cherchant celle de son grand-père. Après quelques minutes, elle la trouve enfin. Elle s'agenouille devant pour y déposer les fleurs. Un mouvement attire son attention. Lorsqu'elle se retourne, elle voit le jeune homme qui l'a abordée juste avant l'enterrement. Elle ne comprend pas ce qu'il fait là. Curieuse, elle se dirige vers lui. Lorsqu'il la voit s'approcher, l'inconnu agite les bras comme pour lui dire de ne pas avancer.

Indécise, elle s'arrête et fait un signe à son interlocuteur, pour lui demander ce qu'il veut. Elle ne sait pas pourquoi, mais elle ne veut pas parler, de peur de briser la tranquillité des lieux. Soudain, elle voit les yeux du jeune homme s'agrandir sous l'effet de la surprise. Elle veut se retourner pour voir ce qui le fait réagir, mais il agite les bras en signe de négation. Sophie n'en tient pas compte et elle reporte son attention vers la tombe qu'elle vient de fleurir. Elle laisse échapper un hoquet de surprise quand elle voit une flamme bleue de la taille d'une petite boule de quilles flotter à quelques centimètres au-dessus de l'herbe qui a poussé à l'emplacement du cercueil. Elle s'approche avec prudence. Il lui semble apercevoir quelque chose à l'intérieur de la sphère de feu. Elle fait encore quelques pas et s'incline vers la flamme pour l'observer de plus près. Enhardie par l'absence de mouvements ou de réactions de la boule enflammée, elle approche la main...

Au moment où elle va la toucher, quelqu'un la secoue.

Confuse, Sophie émerge de son sommeil. Sa mère est debout au pied de son lit et la regarde d'un air moqueur :

— Debout, la marmotte ! Le déjeuner est prêt. Ton père nous attend pour commencer à manger.

Sophie se contente de hocher la tête en signe d'assentiment, trop occupée à tenter de retrouver des bribes de son rêve.

Dans la salle de bain, la jeune fille prend quelques minutes pour démêler ses longs cheveux noirs qui lui font un halo autour de la tête. Elle se regarde dans le miroir, ses yeux noisette encore embrumés de sommeil. Sophie trouve la force de faire une grimace à son reflet, avant de rejoindre ses parents d'un pas traînant.

Malgré le songe étrange dont sa mère l'a tirée, et dont il ne lui reste plus qu'une impression de malaise diffuse, elle est contente de retrouver son père, assis à la table de la cuisine. Sa mère a même eu la gentillesse de l'inviter à déjeuner, pour prolonger son séjour, au bénéfice de Sophie. L'atmosphère n'est pas débordante d'enthousiasme, mais elle voit bien que ses parents font un effort. Même si la peine rôde toujours à proximité, elle ne peut s'empêcher de sourire en les voyant tous les trois réunis autour de la table pour un repas.

Quand vient le temps du départ, son père la serre dans ses bras et lui embrasse le dessus de la tête, comme quand elle était petite. L'adolescente se poste à la fenêtre du salon pour le voir partir. Elle aide ensuite sa mère à débarrasser la table et à faire la vaisselle, se demandant pour la énième fois pourquoi ils n'ont pas de lave-vaisselle comme les gens ordinaires. Sa mère la regarde d'un air interrogateur. Sophie se contente de sourire et de secouer la tête.

Une fois cette corvée terminée, elle s'installe à son ordinateur pour consulter ses courriels. Comme elle s'y attendait, elle a six messages d'Émilie, sa meilleure amie. Comme ses parents ne veulent pas qu'elle ait un cellulaire – une autre source de discussions enflammées entre eux –, Sophie doit se contenter de communiquer avec l'extérieur avec des moyens préhistoriques. Dans le premier message, Émilie lui offre ses condoléances. Son amie regrette de ne pas avoir assisté aux funérailles. Dans les autres, elle passe d'un sujet à l'autre, alternant entre sa nouvelle lecture – les enquêtes d'un magicien qui est également détective privé – et des potins superficiels au sujet de l'école. Émilie en profite pour réaffirmer son ennui à l'idée de passer vingt-quatre heures sans sa meilleure amie. Sophie éclate de rire et ferme sa messagerie. Elle va appeler Émilie, mais elle a quelque chose à faire avant, dont elle rêve de s'occuper depuis hier.

Elle prend le journal de son grand-père sur sa table de chevet et s'assoit sur son lit, le dos calé confortablement contre ses coussins et son oreiller.

4

Une fois bien installée, elle observe le cahier avec plus d'attention. Sa reliure en cuir est finement ouvragée, et de nombreux motifs ornent la couverture. Elle l'ouvre pour le feuilleter distraitement. Elle remarque tout de suite à quel point les entrées sont dispersées à intervalles irréguliers dans le temps. Parfois, il y en a trois dans la même semaine, alors qu'à d'autres occasions elles sont espacées de plus de six mois. Elle revient au début et entame sa lecture.

28 janvier 2000

J'ignore complètement à qui pourra servir ce journal, mais j'ai besoin d'écrire au sujet de ce qui m'arrive. Après tout, ce n'est pas tous les jours qu'une Confrérie secrète recrute un vieux conteur comme moi pour ses connaissances sur le folklore ! Je ne sais pas encore quel rôle je serai appelé à jouer dans le groupe ni ce que je vais devoir faire sur le terrain, mais je me sens prêt à relever tous les défis !

Sophie dépose le journal sur ses jambes et fixe le vide, songeuse. Elle se demande de quoi peut bien parler son grand-père, et quelle est la nature de cette mystérieuse Confrérie. Et quel est le lien avec son intérêt pour les légendes ? Résolue à trouver des réponses à ses questions et à comprendre pourquoi il tenait tant à ce qu'elle ait son journal, elle replonge dans sa lecture, remuant silencieusement les lèvres au fil de sa progression.

15 mars 2000

Thomas a enfin consenti à m'en dire davantage sur le rôle que la Confrérie veut me voir jouer. D'un ton sérieux, il m'a informé que je serais leur valet de limier. Quand je lui ai demandé, en riant, qui étaient ces limiers, il m'a répondu que la Confrérie avait adopté les fonctions d'un équipage de chasse. Étant donné l'histoire du groupe, et l'une de leurs fonctions, ce choix me paraît tout à fait logique. Je vais donc utiliser mes connaissances pour les aider dans leurs séances d'observations sur le terrain. Je leur servirai en quelque sorte de guide d'identification, surtout dans le cas de créatures qu'ils n'auraient jamais rencontrées en chair et en os. Selon lui, j'étais le candidat idéal pour le poste. Par contre, malgré mon insistance, il n'a jamais voulu me dire ce qu'il était advenu de mon prédécesseur. Étrangement, je n'arrive pas à croire qu'il profite d'une retraite dorée dans un chalet tout équipé. Mais assez d'inquiétudes pour le moment, je dois suivre un entraînement rigoureux si je veux avoir le droit de me rendre sur le terrain. J'espère que mes vieux os y survivront !

Sophie voudrait poursuivre sa lecture, mais de nombreuses interrogations tourbillonnent dans sa tête. Qui est ce Thomas ? À quelles créatures son grand-père peut-il faire référence ? La Confrérie aurait-elle un lien avec sa mort ? Elle rejette cette hypothèse d'un brusque geste de la main, refusant de l'envisager sérieusement. Après tout, comment aurait-on pu simuler un accident de chasse ? Elle est convaincue que les pages de ce cahier lui offriront des réponses. Pour en avoir le cœur net, elle saute plusieurs entrées et en choisit une autre au hasard.

10 octobre 2004

Depuis que je lui ai parlé du fait que ma tache de naissance semble se transmettre d'une génération à l'autre, Thomas s'est plongé dans les archives de la Confrérie. Je ne savais pas ce qu'il espérait trouver, jusqu'à ce qu'il vienne me voir hier, avec un air soucieux qui ne lui ressemble pas. Il m'a montré la copie d'un extrait des archives datant du 19e siècle. Il était question de mon arrière-grand-père. Comment n'avais-je pas fait le lien plus tôt ? J'aurais dû me douter que tout ça était de sa faute. Maudit soit son orgueil, qui a sali le nom de notre famille ! Mais tout cela n'explique pas le visage grave de Thomas, qui me tend une seconde pile de photocopies. Cette fois, je suis sous le choc. Qu'allons-nous faire ? J'hésite à en parler à Justine, du moins tant que je n'en saurai pas plus au sujet de ce que contiennent ces archives.

Incrédule, Sophie dépose le journal sur ses genoux. Plutôt que de devenir plus clair, le mystère entourant la Confrérie et les activités de son grand-père s'épaissit. Qu'a-t-il pu découvrir de si choquant dans ces archives ? Quel est le lien avec la tache de naissance familiale ? Et de quoi hésitait-il à parler avec sa mère ? Elle a envie de poursuivre sa lecture, mais elle doit parler avec la principale intéressée. Si sa famille cache un secret en lien avec son passé, il faut qu'elle le connaisse ! Décidée, elle descend à l'atelier maternel.

5

Sophie s'arrête dans le cadre de porte pour regarder sa mère travailler. Ce processus créatif l'a toujours fascinée. La jeune fille aime les grands traits qui traversent la toile, ou les petites touches qui viennent préciser un détail. Après quelques minutes à observer sa mère en silence, celle-ci se rend compte de la présence de la jeune fille. Elle dépose son pinceau dans une tasse maculée de peinture et remplie d'eau, et invite Sophie à la suivre dans la cuisine. Une fois assise, elle prend une pomme dans le panier de fruits au centre de la table et l'essuie sur son tablier d'artiste. Elle sourit à sa fille.

— Je croyais que tu étais en train de *chatter* avec Émilie.

— Oh, non. Elle m'a écrit à peu près 15 courriels, mais je vais lui répondre tantôt. Elle peut bien attendre encore une heure ou deux, ça ne devrait pas la tuer ! En fait, j'étais en train de lire le journal de grand-papa. Et je voulais te poser une question.

— Que veux-tu savoir, ma chérie ?

— Aurait-on un secret de famille ? Un truc inavouable que mon arrière-arrière-grand-père ou ma grand-tante par la fesse droite aurait commis il y a longtemps ?

— Mais voyons, Sophie ! Pourquoi tu me demandes une chose pareille ?

— Ben... grand-papa mentionne un scandale qui aurait sali le nom des Picard. Je me demandais s'il t'en avait parlé.

— Tu trouves probablement notre arbre généalogique trop tranquille, mais de là à imaginer un crime enfoui, c'est un peu fort !

— Mais je n'imagine rien ! C'est grand-papa qui en parle dans son journal ! En plus, il disait qu'il voulait que je sache. Il l'a mentionné dans une entrée qu'il a écrite quand j'avais quatre ans. Tu es sûre qu'il ne t'a parlé de rien ?

— Oh, Sophie, ma chérie ! Je te le dirais, s'il y avait eu un scandale dans la famille. Bon, il y a le fait que ton grand-oncle René était alcoolique et que ton arrière-grand-mère a été internée dans un asile après la naissance de sa fille... mais même si on n'en parle pas ouvertement, il n'y a pas de quoi avoir honte ! Je suis désolée, je ne vois pas du tout de quoi papa pouvait parler dans ce journal.

— Mais je suis sûre qu'il était sérieux !

— Je m'excuse, je ne peux vraiment pas t'aider. Maintenant, si ça ne te dérange pas, j'aimerais terminer ma toile avant le repas. Je me sens très inspirée, et ça me fait du bien.

Croquant dans sa pomme, sa mère se lève et retourne dans son atelier. Sophie, de son côté, remonte dans sa chambre. Assise sur son lit, elle réfléchit à la conversation qu'elle vient d'avoir avec sa mère. L'adolescente est sûre que celle-ci lui cache quelque chose. Tout ça est vraiment étrange. Elle jette un coup d'œil au journal posé sur sa courtepointe et ne peut résister à l'envie de l'ouvrir pour s'y plonger de nouveau.

22 avril 2001

Ils existent ! Ce n'est pas qu'une légende ! Sainte Mère de Dieu, j'ai vu un rougarou ! J'espère ne plus jamais avoir à croiser la route d'une telle abomination. J'en ai encore la chair de poule à m'imaginer cet homme et sa tête de loup. J'ai eu beau presser Thomas de questions, il n'a jamais voulu m'en dire plus au sujet de cette horrible créature. J'ai beau savoir qu'il ne se nourrit que de gibier, je n'ose m'imaginer ce qui se produirait s'il s'attaquait aux humains ou si, pire encore, il y prenait goût. Je dois faire quelque chose avec ce souvenir, sinon il me rendra fou ! Et si j'en faisais une sculpture ? Personne ne me posera de question à cause de mon intérêt pour le folklore. Ça me permettra de me convaincre que je n'ai pas halluciné. J'ai l'impression que ce sera le début d'une étrange collection. Enfin, nous verrons bien...

Sophie frissonne à la lecture de cette entrée. Elle se souvient bien des légendes qui sont associées au rougarou. Elle en a fait des cauchemars durant des semaines lorsque son grand-père les lui a racontées ! Peu désireuse de ressasser ces souvenirs négatifs, elle continue à feuilleter le carnet.

16 mai 2002

Qui aurait cru que la Dame blanche puisse être d'une telle beauté ? Thomas m'a offert de la rencontrer, et je n'ai pas pu refuser. Je me souviens encore de la lumière de la lune qui se reflétait sur sa robe et dans ses cheveux, alors qu'elle *émergeait sans bruit de la chute. J'ai tenté de lui parler, mais elle ne m'a pas répondu. Selon Thomas, c'est normal, même s'il lui arrive parfois de se montrer aux jeunes enfants qui se sont perdus sur le site, afin de les guider vers leurs parents. Le reste du temps, elle erre, à la recherche de son fiancé disparu. Elle dégage une telle tristesse, j'en avais les larmes aux yeux. Elle sera un ajout magnifique à ma collection !*

Pensive, Sophie referme le journal. Cela fait deux fois que son grand-père mentionne ses sculptures. Elle a hâte de pouvoir récupérer son héritage auprès du musée. Qui sait quelles autres créatures fantastiques son grand-père a immortalisées dans le bois ? En ce qui concerne la véracité de ses propos, elle n'arrive tout simplement pas à y croire. Pour elle, il utilise son journal pour y noter des idées d'histoires, et rien de plus. Même si la mystérieuse Confrérie qu'il y mentionne l'intrigue, elle ne peut prêter foi aux rencontres qu'il affirme avoir faites. La clé du mystère se trouve sans doute dans les pages du livre qu'elle tient entre ses mains. Mais pour l'instant, elle a besoin de se changer les idées. Elle se dirige donc vers son bureau pour téléphoner à Émilie. Sa meilleure amie ne dira pas non à une rencontre au parc.

6

De fait, Émilie accepte aussitôt sa proposition et lui donne rendez-vous pour le début de l'après-midi. Après avoir raccroché, et en attendant sa rencontre avec son amie, Sophie allume son ordinateur et fouille un peu sur Internet pour trouver des informations sur sa famille. Mais à part les anciennes expositions de sa mère et les prix remportés par son grand-père pour ses sculptures, elle ne trouve rien pour satisfaire sa curiosité. Devant sa maigre récolte, elle décide de changer de tactique. Elle lance des recherches avec les mots-clés les plus susceptibles de donner des résultats : « folklore québécois », « légendes Québec », « créatures fantastiques Québec », « contes Amérindiens ». Cette fois, elle est ensevelie sous une montagne de résultats. Ne sachant pas par où commencer, elle consulte rapidement les pages proposées, jusqu'à ce qu'elle tombe sur une légende qu'elle connaît moins bien, « la tête qui roule ». Elle clique sur le lien pour lire l'article.

À l'époque où le passage entre Québec et Lévis était assuré par des passeurs, le capitaine Jean Soûlard était réputé comme le plus téméraire d'entre eux. Il affirmait souvent qu'il pouvait naviguer par n'importe quel temps et qu'il était prêt à affronter la plus forte tempête, à condition d'être bien payé. Un soir où le vent soufflait particulièrement fort, Soûlard embarqua un groupe d'étrangers qu'il avait convaincus de monter dans son bateau, leur assurant qu'ils feraient le voyage sans encombre. Malheureusement pour eux, le capitaine fit une erreur de pilotage, et le bateau heurta de plein fouet un bloc de glace, précipitant tous ses passagers par-dessus bord. Seul Soûlard échappa à la noyade. En raison de cet accident, il fut banni de la confrérie des passeurs. Après avoir perdu son emploi, il se mit à fréquenter les tavernes du matin jusqu'au soir. Une nuit d'hiver, il accepta de faire passer un groupe de fêtards de Lévis vers Québec, pour une bouteille de rhum. Naviguant péniblement à travers les

> glaces, Soûlard perdit soudainement pied et tomba à l'eau. En tentant de rejoindre son bateau, il fut décapité par un morceau de glace particulièrement tranchant, et sa tête vola dans les airs. Les pauvres passagers, témoins de cette mort horrible, moururent tous dans l'année qui suivit.
>
> Depuis ce temps, par les soirs de tempête hivernale, on peut voir la tête du capitaine Jean Soûlard rouler sur la glace qui recouvre le fleuve entre Québec et Lévis. Elle laisse une traînée sanglante tout le long de sa route. On raconte que ceux qui voient la tête passer meurent eux aussi dans l'année qui suit.

Dégoûtée, Sophie ferme la page avec un frisson. Et si la mort de son grand-père n'était pas naturelle ? Après tout, à force d'étudier ces créatures étranges, qui sait ce qui a pu lui arriver ? Surprise par cette idée, elle la retourne dans sa tête, peu désireuse d'y croire. Elle a beau y réfléchir, elle ne voit pas comment l'une d'entre elles aurait pu provoquer l'accident qui a causé sa mort. Au moment de lui annoncer le décès de son grand-père, sa mère ne lui a rien dit, et Sophie n'était certainement pas en état de le lui demander. D'ailleurs, elle doute qu'aujourd'hui soit un meilleur moment. Quoi qu'il en soit, elle devra trouver une réponse à cette nouvelle question, d'une manière ou d'une autre. Elle consulte ses courriels une dernière fois pour tenter de se changer les idées, puis elle descend pour le dîner.

Après le repas, elle enfile une veste et avertit sa mère qu'elle va rencontrer Émilie au parc, mais qu'elle sera de retour pour le souper. En marchant sur la 9e Rue en direction de la 1re Avenue, elle songe à sa conversation avec sa mère, et à ce que son grand-père a écrit dans son journal. Qu'est-ce qu'elle va bien pouvoir dire à Émilie ? C'est sa meilleure amie, mais même elle risque de trouver toute cette histoire complètement absurde. De plus, Sophie est réticente à parler du journal de son grand-père. Celui-ci ne voudrait probablement pas qu'elle le montre à n'importe qui.

Plutôt que de remonter jusqu'à la rue Jacques-Cartier, elle emprunte tout de suite le passage Anderson, qui traverse la piste cyclable le long de la rivière. Lorsqu'elle atteint le sentier de gravier qui mène au parc, elle regarde autour d'elle ; malgré le temps clément, le parc est désert, mis à part un cycliste endurci.

7

Sophie se dirige vers les balançoires, où elle voit Émilie déjà assise, de dos, faisant face au terrain de pétanque. Le paillis de bois amortit le son de ses pas, et elle s'approche doucement de son amie. Quand Sophie est assez proche, elle lui touche l'épaule en criant : « Bouh ! » Émilie sursaute et manque de tomber de sa balançoire. Lorsqu'elle a rétabli son équilibre, elle se retourne, les sourcils froncés, prête à enguculer le plaisantin. En voyant son amie, elle se détend et lui donne une tape sur l'épaule.

— J'aurais dû m'en douter. Il n'y a que toi pour avoir un humour aussi douteux.

— C'est ça, oui ! Comme si tu n'étais pas la première à m'appeler pour me raconter la dernière blague vulgaire que tu as entendue !

Émilie tente de prendre un air offusqué, mais elle éclate de rire au bout de quelques secondes. Une fois son fou rire terminé, elle regarde Sophie en haussant un sourcil interrogateur.

— Alors, c'était comment, la cérémonie et l'enterrement ?

Avant de répondre, Sophie s'assoit sur la balançoire à côté d'Émilie. Depuis qu'elles se connaissent, elles se donnent rendez-vous à l'Anse-à-Cartier, où elles discutent de tout et de rien en se balançant, levant ou baissant le ton selon leur position respective dans les airs. Sophie a l'impression d'être dans une bulle avec Émilie, ce qui leur permet d'aborder tous les sujets possibles, du plus sérieux à l'absolument trivial. Sophie soupire et se balance en silence quelques instants avant de répondre, sans regarder son amie.

— Oh, c'était beau. Triste, mais beau. J'aime beaucoup l'église et ses boiseries. Le cimetière aussi était joli. Il y avait plusieurs belles pierres tombales. Je n'ai pas pensé à prendre de photos, par contre.

— Laisse faire l'architecture ! Je veux savoir comment tu es passée au travers. J'aurais dû être là avec toi.

— Arrête, Émilie. Je sais que tu voulais venir, et je comprends que tu ne pouvais pas annuler ta sortie familiale. Ça a bien été, promis. J'ai eu de la peine, c'est sûr. En fait, j'en ai encore beaucoup.

— En tout cas, si jamais je peux faire quelque chose, t'as juste à me le demander !

— Je sais, et c'est gentil de ta part.

Sophie laisse le silence s'installer, seulement rompu par le couinement des chaînes au gré de leurs allers-retours. Elle ne sait pas comment aborder ce qui la préoccupe vraiment. Elle ne veut pas cacher quelque chose à sa meilleure amie, mais elle ne veut pas non plus trahir la confiance de son grand-père en dévoilant le contenu de son journal. Lorsqu'elle voit Émilie ouvrir la bouche, elle décide de la devancer, pour éviter de repousser encore la discussion.

— Tu crois aux créatures surnaturelles ?

— Euh, de quoi tu parles ?

— De loups-garous, de fantômes, ce genre de choses.

— Ben... J'avoue que je ne le sais pas trop. J'ai beau écouter toutes les séries télé qui traitent du surnaturel, je ne me suis jamais vraiment posé la question. Pourquoi ?

Gênée, Sophie rougit et n'ose pas préciser sa pensée. C'est Émilie qui brise le silence :

— As-tu peur d'avoir l'air folle ? Si c'est ça, je te rassure tout de suite, ça ne tue pas. La preuve, c'est que je suis toujours là !

La réplique de son amie fait sourire Sophie. Elle inspire profondément avant de poursuivre.

— J'ai des raisons de croire que les créatures de notre folklore coexistent avec nous depuis toujours.

— Attends. Tu es en train de me dire que les contes et légendes sont vrais ? Qu'il y a vraiment une Dame blanche aux chutes Montmorency et des lutins à Saint-Élie-de-Caxton ? Vas-tu aussi me dire que le Diable a vraiment enlevé Rose Latulipe pendant une soirée de Mardi gras ?

Sophie serre les poings et répond plus brusquement qu'elle l'aurait voulu :

— Oublie ça, je savais que ce n'était pas une bonne idée de t'en parler.

— Ben là ! Mets-toi à ma place. Tu passes deux jours à Saint-Jean-Port-Joli pour l'enterrement de ton grand-père, et quand tu reviens, tu me demandes de croire que les contes de notre enfance sont vrais. Tu m'excuseras d'avoir des doutes et de ne pas comprendre ce qui s'est passé !

Sophie ne sait pas quoi répondre. Elle continue de se balancer en silence, perdue dans ses pensées. Émilie reprend subitement la parole, comme si elle avait eu une illumination.

— Attends une minute ! C'est à cause de ton grand-père, c'est ça ? Tu es bouleversée par ses funérailles, et c'est la manière que tu as trouvée pour faire ton deuil ? Écoute, je suis désolée de ne pas avoir été plus compréhensive. Tu aurais dû me le dire, j'aurais compris, tu sais.

Sophie éclate de rire, amusée par l'hypothèse pas si farfelue de son amie.

— Ma pauvre Émilie... Ne t'en fais pas, je ne suis pas en train de compenser ce que je viens de vivre. Ma question était vraiment sérieuse et, dans un sens, tu as raison à propos du lien avec mon grand-père. Mais je ne peux pas t'en dire plus. En tout cas, pas pour l'instant.

— Ben voyons donc ! D'habitude, on se dit tout...

— Je sais, Émilie. Mais cette fois, c'est différent. Je voulais t'en parler parce que c'est trop gros pour moi, mais il y a des choses qui m'appartiennent à moi seule.

Voyant l'air buté de son amie, Sophie lui sourit et lui tape sur l'épaule.

— Mais il y a par contre quelque chose que tu pourrais faire pour m'aider.

Sophie attend quelques instants et, lorsqu'elle voit qu'Émilie la regarde avec une curiosité mêlée d'impatience, elle reprend.

— Je veux éplucher les journaux des différentes régions du Québec, pour essayer de trouver des preuves, des traces de l'existence réelle de ces créatures. Mais c'est trop de travail pour moi toute seule. Tu veux bien me donner un coup de main ?

— Et qu'est-ce qu'on va faire, avec ces soi-disant preuves, si on en trouve ?

— Laisse-moi m'en occuper, j'ai ma petite idée.

— J'imagine qu'il faut que je te fasse confiance sans poser de questions ?

— C'est à peu près ça, oui ! De toute manière, on ne perd pas grand-chose à faire ces recherches-là. À part un peu de notre temps, mais honnêtement, entre ça et écouter la nouvelle saison de *Surnaturel,* mon choix est fait.

Sophie doit se mordre les lèvres pour ne pas rire lorsqu'elle voit l'air offusqué de sa meilleure amie. Elle connaît bien ses points sensibles, et les frères Winchester en font partie. Pour se faire pardonner, elle décide de changer de sujet.

— J'ai faim. On va chercher une poutine au Pierrot ? Oh, et tu peux me prêter ton *cell,* pour que je puisse avertir ma mère ? Je lui avais promis que je rentrais pour souper.

— Tu lui diras que tu as une *date* avec moi !

— Ben oui, toi ! Pour qu'elle commence déjà à magasiner ma robe de mariée et le traiteur ? Oublie ça !

Caroline Billo
Le Nouvelliste
28 septembre 2016

Le bedeau de l'église Sainte-Geneviève, à Sainte-Geneviève-de-Batiscan, a eu toute une surprise samedi dernier, lorsqu'il a voulu ramasser les feuilles qui commençaient à couvrir le calvaire situé derrière l'édifice religieux. En effet, il a retrouvé ce qui a toutes les apparences de vestiges d'une célébration satanique : un pentacle formé de cierges noirs, une poule noire décapitée et un couteau dont la lame était couverte de sang. La porte-parole de la paroisse s'est refusée à tout commentaire.

La municipalité de Sainte-Geneviève-de-Batiscan est habituellement tranquille. On ne recense pas les habituels actes de vandalisme dans les cimetières, souvent commis par des adolescents en manque de sensations fortes. La présence d'éléments impliquant une cérémonie occulte est donc des plus surprenantes. Les habitants interrogés n'ont pas été en mesure de confirmer d'activités inhabituelles en lien avec de telles pratiques dans leur entourage. La police a toutefois affirmé avoir ouvert une enquête, même si aucun suspect n'est envisagé pour l'instant.

8

À son retour à l'école, le lundi après les funérailles, de nombreux amis viennent témoigner leur soutien à Sophie, ou tout simplement lui présenter leurs condoléances. Elle s'estime chanceuse d'être si bien entourée. Elle répond à chacun avec un sourire, qui est démenti par la tristesse de ses yeux. Heureusement, personne n'y fait vraiment attention. Lorsque la cloche sonne, elle en profite pour s'éclipser dans son cours d'histoire, tout en regrettant de ne pas avoir croisé sa meilleure amie. Mais c'est la période d'examens de décembre, et elles ont de quoi être occupées.

Dans les jours qui suivent, Sophie n'a tout simplement pas le temps de se replonger dans le journal de son grand-père. Malgré tout, Émilie et elle ont commencé à parcourir les archives des principaux journaux de la province, mais, mis à part une possible messe noire à Sainte-Geneviève-de-Batiscan, elles n'ont pas trouvé grand-chose. Sophie insiste pour qu'elles poursuivent leurs recherches, mais elle sait que c'est un travail long et complexe. Elle refuse quand même de laisser tomber, et Émilie est trop curieuse pour lâcher prise. Au moment où Sophie a l'impression que son cerveau va exploser à cause de la somme de notions, de dates et d'informations à retenir, les examens sont terminés. Ce sont les vacances de Noël qui commencent. Ces deux semaines lui permettent de se reposer, de voir son père à quelques reprises, dont une apparition surprise, planifiée avec sa mère, pour le réveillon de Noël. La soirée est tranquille, personne n'a vraiment le cœur à la fête. Son père n'a même pas apporté sa guitare, alors qu'il se faisait toujours un plaisir d'accompagner son grand-père quand celui-ci sortait son harmonica pour un rigodon bien senti.

***

Au début du mois de janvier, alors qu'une tempête ensevelit la ville sous plusieurs centimètres de neige, Sophie est enroulée dans une couverture et blottie dans la causeuse du salon, le carnet de son grand-père ouvert sur ses cuisses.

1er février 2003

Hier, Thomas m'a emmené faire un tour en Abitibi. Il disait que c'était le moment idéal pour observer une créature extrêmement dangereuse. Nous avons roulé durant plusieurs heures jusqu'à atteindre la réserve faunique La Vérendrye. Là, nous avons emprunté la route 41, qui s'enfonçait dans la forêt. Après plusieurs minutes de chemins cahoteux, nous avons atteint un camp de chasse de la Confrérie.

Nous avons pris le temps de nous installer, puis Thomas m'a fait signe de le suivre. Il s'est dirigé vers une remise attenante au chalet, d'où il a extrait deux paires de raquettes, ainsi que de puissantes jumelles. Une fois convenablement chaussés, nous nous sommes enfoncés dans les bois environnants. L'air était rempli du chant des oiseaux, de la course d'un écureuil et du craquement de branches qui éclatent à cause du froid. Finalement, Thomas m'a fait signe de m'arrêter puis de m'accroupir. Il a ensuite mis un doigt devant sa bouche et il a pointé ses oreilles. Ce n'est qu'à ce moment-là que j'ai remarqué qu'un silence presque surnaturel régnait dans la forêt. Les oiseaux s'étaient tus, aucun animal ne courait dans les arbres ou les buissons, et même le vent avait cessé de souffler.

Thomas m'a tapé sur l'épaule avant de me tendre les jumelles, puis il a pointé un endroit à ma gauche. Même avec la vision grossissante des lentilles, je ne savais pas ce qu'il voulait que je regarde. J'ai ajusté la mise au point sans baisser les jumelles. Et c'est là que je l'ai vu. Sainte mère de Dieu ! J'en ai encore des frissons juste à y penser.

Mesurant près de deux mètres de haut, la créature était décharnée au point où ses os saillaient sous sa peau. Celle-ci était desséchée et grise comme la cendre. Quand la bête s'est retournée, j'ai vu ses yeux d'un rouge flamboyant profondément enfoncés dans leurs orbites, ses lèvres gercées et la cavité où se trouvait son nez. Sous ses côtes saillantes, on distinguait une masse foncée qui devait être son cœur. Ses bras et ses jambes étaient squelettiques, mais semblaient dotés d'une force prodigieuse. Humant l'air autour d'elle, la créature a poussé un hurlement qui m'a fait dresser les cheveux sur la tête. Jamais je n'avais entendu un cri pareil, et j'ai bien cru que mon cœur allait s'arrêter sous l'effet de la peur.

Lorsque Thomas a mis la main sur mon épaule, j'ai dû me mordre la lèvre jusqu'au sang pour ne pas hurler à mon tour. Reprenant les jumelles de mes mains inertes, il m'a indiqué, d'un geste, que nous retournions au camp de chasse.

J'ai acquiescé avec vigueur, et je l'ai suivi en essayant de faire le moins de bruit possible, de peur d'alerter la chose que je venais d'apercevoir. Après quelques minutes de marche, le pépiement des oiseaux et la course des écureuils se sont de nouveau fait entendre, comme pour nous dire que nous étions maintenant en sécurité. J'ai eu beau presser Thomas de questions, il refusait de me répondre tant que nous ne serions pas à l'intérieur.

Une fois arrivés au camp, nous avons remisé les raquettes et les jumelles, et nous nous sommes installés devant un bon feu. Thomas s'affairait à préparer du café, me laissant seul avec mes pensées, et avec le souvenir de ce que je venais de voir. Il m'a tendu une tasse fumante avant de s'asseoir face à moi. J'ai bu une gorgée du liquide brûlant et j'ai grimacé quand j'ai senti la chaleur de l'alcool embraser ma gorge. Il avait agrémenté ma boisson d'une dose de Brandy, ce dont j'avais effectivement besoin. Après quelques gorgées plus prudentes, j'ai enfin pu me résoudre à revenir sur ce qu'il venait de me montrer. Avec un large sourire, Thomas m'a annoncé que j'avais survécu à ma première rencontre avec un Wendigo.

En entendant ce nom, j'ai tout de suite su de quoi il était question. La figure du Wendigo est présente dans la majorité des cultures autochtones du Canada et de l'est des États-Unis. C'est un esprit maléfique qui se nourrit de chair humaine. Il apparaît habituellement durant les grands froids de l'hiver, quand la chasse est mauvaise. On dit que la malédiction du Wendigo s'abat sur toute personne qui s'abaisserait à commettre le cannibalisme, même en cas de nécessité absolue.

C'est à ce moment-là que j'ai compris la véritable nature de la Confrérie. Nous sommes le seul rempart entre les humains et les créatures cauchemardesques comme le Wendigo. Et moi qui croyais que toutes celles auxquelles j'aurais affaire seraient aussi bénéfiques que la Dame blanche ou aussi inoffensives que Ponik, le monstre du lac Pohénégamook ! Quand j'ai regardé Thomas, il a hoché la tête, comme s'il avait pu lire dans mes pensées. Je n'ai pas osé lui demander d'autres précisions, et quand nous avons terminé nos cafés, il a lavé les tasses, les a mises à sécher, et nous sommes rentrés directement à Saint-Jean-Port-Joli. J'espère ne jamais avoir à croiser de nouveau la route d'un Wendigo, parce que je ne sais pas si j'y survivrais.

Sophie dépose lentement le journal sur ses genoux, secouée par cette longue anecdote, racontée d'une manière si détachée. Malgré les nombreuses questions qui lui viennent à l'esprit, elle s'efforce de garder la tête froide. Qu'elle le veuille ou non, il y a de fortes chances que son grand-père dise la vérité dans ses écrits. Si c'est le cas, alors la Confrérie est plus importante qu'elle le croyait au départ. Mais elle ne peut pas se fier uniquement à ce journal. Si des créatures issues du folklore existent réellement, il est logique de penser que la Confrérie ne peut pas toujours empêcher un contact avec les humains, non ? Les recherches qu'elle mène avec Émilie sont plus pertinentes que jamais. Sophie décide de creuser aussi du côté de la section de nouvelles insolites. Il est temps pour elle de rejoindre son amie pour avancer dans leurs fouilles des archives journalistiques.

9

Après un bref coup de fil, Sophie informe sa mère qu'elle va passer l'après-midi chez Émilie. Lorsque sa mère lui demande si elle veut qu'elle aille la reconduire en voiture, Sophie accepte, car la température oscille autour des moins 30 degrés, sans compter le vent. Le trajet jusqu'à la rue Ozanam ne prend que quelques minutes. Sophie promet à sa mère de l'appeler quand elle sera prête à rentrer, puis elle sonne à la porte de son amie. Celle-ci lui mentionne que ses parents sont partis chez un couple d'amis et ne reviendront qu'en fin de soirée.

— On pourra cuisiner des nachos maison et faire un marathon de *Buffy* !

— Je vais voir avec ma mère, mais oublie les séries télé avec des monstres, j'en ai assez dans ma vie en ce moment, merci !

— Encore quelque chose dont tu ne peux pas me parler, j'imagine ?

— Exactement. Je te promets de t'en dire plus bientôt, mais pour l'instant, je préfère garder ça pour moi.

— Dans ce cas, je nous fais deux gros chocolats chauds pleins de guimauves. On s'installe dans ma chambre et on se replonge dans nos fouilles journalistiques !

— Je ne t'en demande pas tant que ça, mais vendu ! répond Sophie, en riant.

Elles travaillent dans un silence ponctué de soupirs, jusqu'à ce qu'Émilie signale la fin des investigations, en poussant un grognement dégoûté.

— Tout ce que j'ai trouvé, c'est une vieille critique qui a été publiée dans les années 1990, à propos d'un essai sur le monstre du lac Pohénégamook. Et d'après le journaliste, ce n'était pas un très bon livre.

Elle referme son portable avant de le repousser devant elle. Sophie la regarde en haussant les épaules.

— Meilleure chance la prochaine fois !

— Tu dis ça pour pouvoir continuer à m'exploiter !

— Comment peux-tu dire une chose pareille ? Après tout, c'est toi qui as accepté de m'aider. Je ne t'ai jamais tordu un bras, ajoute-t-elle avec un sourire faussement gêné.

— En tout cas, je t'avertis, Sophie Picard, on est mieux de trouver quelque chose ! Et pour me démontrer ta bonne foi, j'exige que tu viennes dormir à la maison ce soir !

Sophie éclate de rire avant de sortir de la chambre pour appeler sa mère.

10

C'est déjà le moment pour Sophie de retourner à l'école. Comme elle avait le même cours qu'Émilie, les deux amies se sont donné rendez-vous à son casier. Lorsqu'Émilie arrive, Sophie consulte sa montre et sursaute en voyant qu'elles vont être en retard. Elle presse donc son amie pour qu'elles se rendent rapidement en classe.

Elles arrivent juste avant que la cloche ne résonne pour annoncer le début des cours, et s'assoient à leur place, légèrement essouflées. Puis leur enseignante s'avance devant son bureau et s'adresse à la classe.

— Bonjour, tout le monde, et bon retour en classe après le congé des Fêtes. J'espère que vous êtes toutes et tous bien reposés, parce que nous aurons beaucoup de pain sur la planche au cours des prochains mois.

Quelques grognements se font entendre à l'arrière de la classe.

— Comme vous le savez sans doute, la deuxième moitié de l'année est consacrée à un projet spécial, et chaque niveau travaille à ce projet d'une matière différente. Pour les élèves de cinquième secondaire, c'est le cours de français qui est mis à contribution cette année.

À ces mots, Émilie ne peut retenir un mouvement de joie. Sophie la regarde en haussant les sourcils et son amie réplique en murmurant : « Ben quoi ? » L'adolescente secoue légèrement la tête et retourne son attention vers son enseignante. Celle-ci poursuit ses explications.

— Je vous propose donc d'étudier l'histoire de la littérature québécoise, depuis le folklore autochtone jusqu'à la Révolution tranquille.

Cette fois, c'est toute la classe, sauf Sophie, qui pousse un grognement dépité.

— Vous aurez donc un travail de recherche à rendre pour le mois de juin. Je vous remettrai tout à l'heure une liste de sujets parmi lesquels vous pourrez choisir le vôtre. Les travaux se feront de manière individuelle, mais vous pouvez vous aider si vous êtes plusieurs à travailler sur la même problématique. Un travail d'équipe est prévu pour la dernière étape de l'année, mais nous y reviendrons en temps et lieu. Vous avez des questions ?

L'enseignante laisse passer quelques secondes, mais comme personne ne lève la main, elle reprend aussitôt.

— Sachez également qu'il y aura un voyage en lien avec ce projet durant la semaine de relâche.

La classe tout entière se met à parler en même temps. La professeure tente de calmer les élèves, mais elle ne peut que laisser le brouhaha se résorber de lui-même.

— Je vous disais donc que la semaine de relâche sera l'occasion d'une sortie de classe pour tous les élèves de cinquième secondaire. Évidemment, vous aurez à faire signer une autorisation parentale. Au programme, nous visiterons les chutes Montmorency, avant de nous rendre à l'île d'Orléans. Nous poursuivrons ensuite avec une visite de la cathédrale de Notre-Dame-de-Beaupré puis, au retour, nous ferons un arrêt au village huron de Wendake.

À la mention du dernier lieu de leur voyage, Sophie sourit. Elle sait qu'elle a de la parenté qui y habite, mais ce sera surtout une occasion pour elle d'en apprendre plus sur ses ancêtres, sans avoir à passer par sa mère. Puis, madame Thouin fait circuler la liste des sujets potentiels pour le projet d'étape, avant de reprendre la parole.

— J'allais oublier de vous mentionner le plus important ! Entre Notre-Dame-de-Beaupré et le village huron, nous passerons quelques jours dans un chalet du Mont-Sainte-Anne, où vous pourrez en profiter pour skier !

Cette fois, l'enseignante ne tente même pas de limiter le niveau sonore de la classe. Après quelques minutes de tumulte, elle lève les mains et réussit à rétablir le calme. Puis, elle inscrit au tableau les notions du jour, ainsi que les exercices qui seront à finir à la maison. Si Émilie semble ravie, Sophie regarde les minutes filer à la vitesse d'une tortue sur l'horloge, alors qu'elle tente d'assimiler la matière. Après ce qui lui semble une éternité, la cloche annonçant la fin du cours se fait finalement entendre, et la classe se vide rapidement, emportant Sophie et Émilie dans son sillage.

À la fin de la journée, Sophie s'empresse de rentrer chez elle et de faire signer l'autorisation à sa mère. Puis, elle monte dans sa chambre où elle s'installe à son bureau pour étudier plus attentivement les sujets potentiels pour son travail de recherche. Une entrée attire particulièrement son attention : « Les folklores autochtone et québécois sont remplis de personnages plus grands que nature, d'exploits héroïques et de créatures fantastiques tantôt bénéfiques et parfois maléfiques. Dressez un inventaire détaillé de l'un ou l'autre de ces aspects. » Souriante, Sophie prend un surligneur jaune dans son étui à crayons et identifie le sujet qui l'intéresse. Elle a déjà hâte de commencer ses recherches.

Carl Rocheleau
La Gatineau
10 août 1997

L'auteur et amateur de l'étrange Robert Therrien n'en est pas à son premier livre sur les phénomènes inexpliqués du Québec. Dans son plus récent ouvrage, *Ponik : les déboires d'un monstre méconnu*, paru aux éditions du Zèbre en mai dernier, il s'intéresse à un monstre marin de moindre importance. En effet, Ponik habiterait les eaux du lac Pohénégamook, en bordure de la ville du même nom.

Dans son livre, Therrien recense de nombreux témoignages, qui décrivent Ponik à la fois comme un serpent de mer, une vache marine ou un énorme crocodile. Il en profite également pour revenir sur le mystère entourant le monstre. La première apparition de la bête remonterait à 1874, mais ce n'est qu'au milieu des années 1950, lors du dynamitage effectué pour rénover la route 289, en bordure du lac, que le mythe de Ponik prend véritablement son envol.

Selon Therrien, c'est à partir de ce moment-là que les témoignages se multiplient. Une chasse au monstre est même ouverte, et le journal local offre une prime de 100 $ pour une photographie ou une autre preuve de l'existence d'une telle créature dans le lac. Il mentionne également une expédition torontoise qui serait parvenue à déceler une masse d'environ huit mètres de longueur sur ses relevés ultrasoniques.

Écrit dans un style familier, ce livre est davantage un ramassis de rumeurs et de témoignages peu crédibles plutôt qu'une analyse sérieuse du phénomène de l'intérêt populaire pour une créature locale. Therrien ne prend même pas la peine d'inclure les hypothèses plus scientifiques de certains chercheurs, pour qui Ponik n'est rien de plus qu'un jaillissement de gaz naturel, ou encore des remontées d'arbres morts.

Bref, cet ouvrage plaira aux convertis, mais n'apporte absolument rien de plus à la cryptozoologie québécoise. Ce n'est pas surprenant, compte tenu de la réputation de Therrien, mais c'est tout de même décevant de constater un tel manque de rigueur scientifique.

11

La journée est splendide et le mercure est à peine en dessous de zéro. Sophie en profite pour se rendre en autobus à la bibliothèque Gabrielle-Roy pour y consulter des livres sur des légendes. Même si ce n'est que la fin du mois de janvier et qu'il lui reste plusieurs mois avant de rendre son travail, elle est trop impatiente pour laisser ses recherches de côté. Elle a apporté le journal de son grand-père, au cas où elle aurait besoin de trouver de l'inspiration. La jeune fille entre en soupirant d'aise dans le grand hall vitré et lumineux du bâtiment. Elle se rend au deuxième étage. Elle consulte le catalogue informatisé et obtient de nombreuses références, qu'elle note minutieusement pour retrouver les livres dans les rayons. Au bout de quelques minutes de recherches, elle a déjà une bonne dizaine d'ouvrages dans les bras. L'adolescente s'installe donc à une table près d'une fenêtre pour les consulter, un cahier de notes ouvert devant elle. Elle se demande par où commencer, puis son choix s'arrête sur la chasse-galerie, une légende que son grand-père ne lui a pas racontée souvent. Après consultation des index des livres qu'elle a sélectionnés, elle trouve l'information qu'elle cherche.

> La chasse-galerie était un moyen de transport utilisé par les bûcherons durant les longs mois d'hiver. Les hommes qui voulaient faire la chasse-galerie devaient invoquer Satan selon un rituel précis pour lui demander de les transporter dans un canot volant pour leur permettre de revoir parents, femmes et enfants. En échange, les bûcherons devaient respecter certaines conditions : ils ne devaient pas porter de croix ni de médaille bénite, ils ne devaient pas prononcer le nom de Dieu ni l'invoquer par l'un de ses sacrements, il ne fallait pas qu'ils touchent un clocher d'église avec le canot et finalement, ils devaient être revenus avant l'aube. Si l'une de ces conditions n'était pas respectée, Satan pouvait faire tomber le canot et s'emparer des âmes des bûcherons. Malgré tout, ils auraient été nombreux

> à voyager de cette manière, afin de pouvoir célébrer Noël en famille ou encore pour échapper à la solitude des camps de bûcherons en hiver.

Sophie relève la tête en souriant. Elle a beau trouver intéressant le concept de voyager en canot volant, cela demeure tout de même un pacte avec le Diable ! Elle attrape son cahier pour y griffonner ses notes, et remarque distraitement un jeune homme assis à quelques places en face d'elle, qui lit un numéro de la revue *Québec Science*.

Concentrée, la jeune fille réfléchit à la prochaine créature qu'elle a envie d'aborder. Elle voudrait en trouver une qu'elle n'a pas déjà rencontrée dans la lecture du carnet dont elle a hérité, pour éviter d'avoir l'impression de ne pas effectuer sa part du travail. Sophie se replonge dans les index, mais ses pensées dérivent. Elle n'est pas encore prête à considérer que le contenu du journal de son grand-père est vrai. C'est trop difficile d'accepter qu'il ait réellement vu ce qu'elle vient de lire dans des recueils de légendes. Mais au fond d'elle-même, l'adolescente ne peut croire que le journal de son grand-père soit rempli de fabulations. Ce qui veut dire qu'elle a peut-être mis le doigt sur quelque chose. Pour l'instant, ce n'est pas le moment de s'y attarder, mais Sophie se promet d'y revenir plus tard, quand elle aura le temps de creuser la question.

Elle se lève et fait quelques étirements, afin d'éloigner la fatigue de ses bras et de sa nuque. Elle regarde par la fenêtre et se perd dans la contemplation des passants qui profitent du soleil et de la douceur de la température sur la rue Saint-Joseph pour faire leurs courses. En reprenant sa place, elle aperçoit le jeune homme se replonger précipitamment dans la lecture de son *Québec Science*. Surprise, elle ne peut s'empêcher de penser que ce dernier l'observait. Puis elle secoue la tête en souriant devant cette pointe de paranoïa. Elle songe que ses recherches commencent à avoir un effet sur son imagination et qu'il est peut-être temps de passer à autre chose. Un détail la trouble particulièrement. Elle est convaincue de l'avoir déjà vu quelque part, mais elle est incapable de se rappeler où et dans quelles circonstances elle aurait pu le rencontrer. Après un dernier coup d'œil à l'inconnu, qui n'a pas relevé le nez de sa revue, elle se rassoit et se replonge dans les recueils de légendes étalés devant elle.

***

Sophie termine ses lectures, puis, songeuse, elle rassemble les quelques livres dont elle n'a plus besoin. En allant les placer sur un chariot de bibliothèque, elle remarque que le jeune homme à la revue la regarde franchement. Nerveuse, elle s'approche de lui afin d'en avoir le cœur net. En la voyant avancer dans sa direction, il se lève et quitte précipitamment la bibliothèque. Surprise, Sophie hâte le pas à sa suite et parvient à le rattraper alors qu'il sort du bâtiment.

— Hey toi ! Pourquoi tu me regardais comme ça dans la bibliothèque ?

Alors qu'il s'apprête à traverser la rue, elle l'agrippe par le bras et l'oblige à la regarder.

— Je te parle ! Je t'ai demandé pourquoi tu avais l'air de t'intéresser à moi tantôt.

Le jeune homme demeure muet, se contentant de la fixer du regard. C'est à ce moment qu'elle le reconnaît.

— Hey ! C'est toi qui es venu me parler aux funérailles de mon grand-père. Qu'est-ce que tu me veux ?

— Calme-toi, je ne te veux aucun mal. En fait, c'est tout le contraire. C'est Thomas qui m'a demandé de m'assurer que tu allais bien.

— Thomas ? Attends… tu es en train de me dire que le mystérieux chef d'une confrérie secrète à laquelle appartenait mon grand-père s'intéresse à moi ?

Le jeune homme hoche la tête, visiblement gêné de s'être fait prendre et d'avoir cette conversation avec elle. Toutefois, Sophie ne se laisse pas attendrir et fixe le jeune homme d'un air décidé. Elle ne peut s'empêcher de le provoquer :

— En tout cas, on ne peut pas dire que tu es très discret dans ta surveillance !

Il grimace comme si elle l'avait frappé.

— De toute manière, que tu m'aies vu ou pas ne change rien. Tu as besoin de la Confrérie, même si tu ne le sais pas encore.

12

Sophie s'apprête à lui demander des précisions, mais le jeune homme lui tourne le dos et s'éloigne d'un pas rapide. Après quelques instants, il se retourne brièvement pour lui envoyer la main. Alors qu'il disparaît au coin de la rue, ses dernières paroles tourbillonnent dans l'esprit de Sophie.

Elle retourne dans la bibliothèque dans un état second, où elle range mécaniquement les livres demeurés sur sa table de travail. Elle récupère ses effets personnels, qu'elle glisse distraitement dans son sac à dos. Puis elle se laisse tomber sur sa chaise. Encore ce Thomas. Mais pourquoi les Chasseurs de légendes voudraient-ils la surveiller ? Ça n'a pas de sens. Elle n'est qu'une adolescente, pas une chasseuse de monstres ! Toujours sonnée, elle sort de la bibliothèque et se dirige vers son arrêt d'autobus. Les questions se bousculent dans sa tête, jusqu'à ce qu'elle arrive chez elle.

Une fois la porte de sa chambre fermée, Sophie compose le numéro de sa meilleure amie. En comptant les sonneries, elle l'implore de répondre. Lorsque la voix d'Émilie se fait entendre, Sophie soupire de soulagement.

— Émilie ! Tu ne croiras jamais ce qui vient de se passer ! J'étais à la bibliothèque pour le travail de français, et il y a un gars qui me surveillait. C'est le même qui est venu me voir à l'enterrement de mon grand-père.

Sophie s'interrompt soudainement sur sa lancée, ne sachant pas comment expliquer la situation sans parler de Thomas, de la Confrérie et de tout ce qu'elle a lu dans le journal de son grand-père. Elle tente donc maladroitement de se rattraper.

— Mais je n'ai pas pu lui poser plus de questions, parce qu'il s'est sauvé.

À l'autre bout du fil, Émilie essaie d'obtenir quelques éclaircissements.

— Attends, je ne comprends rien. Il y a un gars qui t'observait à la bibliothèque ?

Sophie réfléchit à toute vitesse à ce qu'elle peut dire à Émilie au sujet de sa confrontation avec l'inconnu, sans trahir ses secrets. Elle décide de résumer le tout le plus honnêtement possible, quitte à passer certaines choses sous silence.

— Je suis allée à la bibliothèque Gabrielle-Roy pour faire des recherches pour mon projet du cours de français. À un moment donné, j'ai relevé la tête et j'ai vu un gars qui avait l'air de m'observer, mais je n'ai pas fait attention. Mais quand je me suis levée pour aller porter des livres, là, je l'ai clairement vu en train de me fixer. C'est là que je l'ai reconnu. J'ai voulu aller le voir pour savoir ce qui se passait, mais il s'est levé et il est parti en courant !

La voix d'Émilie trahit sa perplexité :

— Mais pourquoi il était venu te voir aux funérailles de ton grand-père ? Et qu'est-ce qu'il faisait à te surveiller ?

Sophie opte pour une demi-vérité, même si elle n'aime pas l'idée de mentir à sa meilleure amie.

— À l'enterrement, il est venu me dire qu'il avait connu mon grand-père, que c'était un homme bien et que je lui ressemblais beaucoup. À la bibliothèque, je n'ai pas eu le temps de lui poser de questions avant qu'il se sauve. Mais je suis sûre que c'est le même gars !

— C'est bizarre, tout ça ! Et tu ne sais pas ce qu'il te voulait ?

Cette fois, Sophie n'a pas besoin de cacher quoi que ce soit.

— Non, je n'en sais absolument rien. Et ça me fait paniquer !

— Eh bien, s'il s'est sauvé, il ne doit pas être si dangereux que ça ! Peut-être qu'il ne sait pas comment te déclarer son amour ?

— Arrête, Émilie ! Ce n'est pas drôle !

— OK, c'est bon... Mais pendant que tu affrontais ton mystérieux admirateur, j'ai continué à faire des recherches dans les archives des médias. Et j'ai trouvé quelque chose.

À cette annonce, Sophie retient le commentaire désobligeant qu'elle destinait à Émilie pour se concentrer sur ce que son amie a trouvé.

— Alors, qu'as-tu découvert ?

— Ne te fais pas d'idées, ça ne veut pas dire que je te crois. Mais disons que c'est... troublant.

— Allez ! Arrête de me faire attendre et crache le morceau !

— D'accord ! Pas besoin de t'énerver non plus ! En fait, je me suis fatiguée de chercher dans les archives de journaux et j'ai pensé regarder du côté des archives des bulletins de nouvelles des grandes chaînes. Et j'ai eu de la chance.

Sophie doit se mordre les lèvres pour ne pas crier après Émilie tant celle-ci semble prendre un malin plaisir à faire durer le suspense. La jeune fille semble sentir l'impatience de Sophie, puisqu'elle enchaîne rapidement :

— J'ai trouvé un vieux reportage d'une station communautaire qui date d'un peu plus de dix ans. Tu veux le consulter ?

— Oui, je vais pouvoir regarder ça tranquillement, quand je me serai remise de mes émotions. Merci, Émilie, j'apprécie.

— Oh, y a vraiment pas de quoi ! J'avoue que je commence à me prendre au jeu de l'inspectrice du paranormal. Je te tiens au courant si jamais je fais d'autres trouvailles du genre.

En raccrochant, Sophie est intriguée. Émilie semble avoir mis le doigt sur quelque chose… Sophie aimerait consulter le lien vidéo tout de suite, mais il faut vraiment qu'elle aille saluer sa mère, sinon celle-ci va s'inquiéter. Elle descend donc à l'atelier.

Olivier Gladu
TVC7, à Amos
3 novembre 2005

Voix du journaliste : La nuit dernière, un fermier de la région a eu une bien mauvaise surprise, quand il a été réveillé par des meuglements en provenance de son étable. Lorsqu'il est arrivé à l'intérieur, armé d'un fusil de chasse et d'une lampe de poche, tout son bétail gisait au sol. En fouillant les lieux, monsieur Pilote a aperçu quelque chose d'étrange... Il a bien voulu se confier à nous. Voici ce qu'il avait à nous dire :

Olivier Gladu : Monsieur Pilote, pouvez-vous nous raconter ce qui s'est passé la nuit dernière ?

Réjean Pilote : Ben, j'avais éteint la télévision pis j'allais me coucher quand j'ai entendu mes bêtes crier de douleur. J'avais fait la traite plus tôt dans la soirée. Je savais que c'était pas pour ça. J'ai eu peur, mais comme c'est mon gagne-pain, j'ai pris ma carabine pis une lampe de poche, pis je suis allé voir dans la grange ce qui se passait.

OG : Et qu'avez-vous vu ?

RP : Toutes mes bêtes avaient été éventrées. Y avait du sang partout sur les murs, pis leurs tripes étaient étendues par terre. La *job* avait pas été faite avec une lame, on voyait des traces de morsures. Pis là, j'ai entendu un bruit dans le fond de l'étable. Je ne voulais vraiment pas aller voir, mais je pouvais pas laisser faire ça, d'un coup que l'animal ait la rage. J'ai armé le chien de ma carabine, pis je suis allé voir ce qui faisait ce bruit-là.

OG : Avez-vous découvert l'origine du son que vous avez entendu ?

RP : Oh oui, je l'ai trouvée ! Pis je vais m'en souvenir pour le reste de mes jours. J'ai vu une grande queue rouge disparaître par la fenêtre sur le côté de la bâtisse. La queue devait bien faire un mètre, un mètre et demi. Pis les poils étaient rouges comme un camion de pompier !

OG : Avez-vous été en mesure de blesser ou de capturer cette étrange créature ?

RP : Êtes-vous malade ? C'est une bête à grand'queue qui a fait ça à mes vaches ! Y était pas question que je coure après cette maudite créature-là ! Pis j'me considère bien chanceux que ce soit juste mes vaches qui y soient passées.

Malgré nos nombreuses recherches et nos discussions avec plusieurs biologistes, personne n'a été en mesure de nous donner plus de précisions à propos de cette « bête à grand'queue ». Monsieur Pilote, quant à lui, avait assuré son troupeau et a obtenu un dédommagement, malgré son histoire rocambolesque. Nous suggérons donc aux fermiers de la région, ainsi qu'aux gens habitant aux abords de la forêt, d'être vigilants dans les prochains jours.

Ici Olivier Gladu, TVC7, Amos.

13

Les semaines suivantes sont pénibles pour Sophie. Elle souffre de cauchemars récurrents qui l'empêchent de bien dormir. À chaque fois, elle n'en garde que des impressions diffuses, ainsi qu'un fort sentiment de menace qui la fait frissonner. Toutefois, l'un de ces rêves est gravé dans sa mémoire.

Elle se trouve devant le bassin des chutes Montmorency, dont le bord est couvert de glace, et elle ordonne à la Dame blanche d'apparaître. Sauf que ce n'est pas sa voix qu'elle entend, mais celle, rauque et graveleuse, d'un homme adulte. Lorsqu'elle lève les mains, elle voit que ses doigts, longs et épais, se terminent par des ongles taillés en pointe. D'une voix forte et autoritaire, elle invoque encore une fois l'esprit qui hante les chutes.

Cette fois, une forme translucide apparaît dans les trombes d'eau qui se déversent à ses pieds. Lorsque l'apparition s'approche, Sophie voit qu'il s'agit d'une jeune fille d'une grande beauté, vêtue d'une robe de mariée blanche, avec de la dentelle partout. Elle fixe le fantôme dans les yeux, jusqu'à ce que celui-ci baisse le regard. Une fois sa domination assurée, elle relève la tête et s'adresse à l'esprit. Étrangement, le bruit des chutes couvre ses paroles et, même si elle sent ses lèvres bouger et voit la buée qui s'échappe de sa bouche, elle n'entend rien. Lorsqu'elle a terminé de parler, le spectre la regarde d'un air implorant, mais Sophie ne détourne pas le regard. La jeune mariée hoche donc la tête d'un air misérable avant de se fondre dans les chutes. Puis, l'adolescente éclate d'un rire cruel qui résonne à ses oreilles, avant de disparaître dans une poignante odeur de soufre...

Sophie s'est réveillée en sueur et n'a pas été capable de se rendormir avant plusieurs heures. Complètement épuisée par ces intermèdes nocturnes, l'adolescente décide de reporter ses recherches après le voyage de la relâche. De toute manière, qui sait si elle ne verra ou n'entendra pas quelque chose qui pourrait l'inspirer pour son travail. Elle n'a pas l'énergie de se replonger dans les mystères du journal de son grand-père. Elle cherche tout simplement à oublier ses rêves en passant du temps avec ses amis. Ils assistent au défilé de Bonhomme dans la Haute-Ville, en plus d'aller plusieurs fois sur le site du Carnaval. Mais même un bon chocolat chaud entre amis ne suffit pas à lui faire oublier complètement le sentiment de menace qu'elle ressent dans ses rêves.

Puis arrive enfin la relâche scolaire, au grand soulagement de Sophie. Même si elle n'aura pas beaucoup le temps de se reposer, avec le voyage des cinquièmes secondaires, elle compte bien profiter des quelques jours qu'ils passeront à skier au mont Sainte-Anne. C'est pourquoi elle ne rechigne pas lorsque sa mère vient la réveiller à 7 h le premier samedi de sa semaine de congé, pour qu'elle puisse se préparer et être à temps à l'école afin d'attraper l'autobus dans lequel ils feront la route.

Une fois dans l'autobus, Sophie se laisse porter par l'ambiance. Le court trajet s'effectue dans la bonne humeur, et elle est surprise de constater qu'ils sont déjà arrivés sur le site des chutes. Une guide monte à bord pour leur expliquer les consignes pour la visite. Elle leur propose de scinder le groupe en deux : d'un côté, les plus aventureux, qui pourront voir la chute à partir du pont, et de l'autre, ceux qui préfèrent un trajet plus tranquille, à la base de la chute.

Sophie se tourne vers Émilie pour lui demander dans quel groupe elle compte passer l'avant-midi.

— Je veux aller sur le pont. C'est tellement le meilleur endroit pour voir la chute ! Ça va être malade !

Sophie, peu convaincue, préfère rester sur le plancher des vaches. Bien que déçue de ne pas passer l'avant-midi avec sa meilleure amie, elle retrouve le sourire quand elle constate que plusieurs autres de ses amis sont avec elle. Elle suit la guide qui leur est attribuée et le groupe monte jusqu'au manoir Montmorency, où leur visite débute. Leur guide se tourne vers eux et pointe la chute du doigt.

— Quelqu'un peut me dire ce que cette chute a de particulier ?

Sophie croit connaître la réponse, mais de peur de se tromper, elle préfère laisser quelqu'un d'autre répondre en premier. Son amie Sarah ne tarde pas à lever la main :

— C'est la plus haute chute du Québec, et elle dépasse les chutes du Niagara de presque 100 mètres !

La jeune femme les regarde en souriant, mais secoue la tête.

— Tu as raison, mais ce n'est pas à ça que je pensais. Quelqu'un d'autre a une idée ?

Cette fois, Sophie se lance et lève la main à son tour :

— Elle abrite une Dame blanche.

Leur guide sourit et hoche la tête.

— Bravo ! Connais-tu sa légende ?

— Un peu, mais ça fait longtemps que je l'ai entendue.

— Bon, alors permettez-moi de vous raconter la triste histoire de la jeune femme dont l'esprit hante ces lieux. Louis et Mathilde s'aimaient profondément, et ils étaient promis l'un à l'autre, au grand bonheur de leurs familles respectives. Mais en 1759, les Britanniques ont lancé une attaque près de la chute Montmorency. Comme Louis faisait partie de la milice, il est parti avec son groupe défendre les terres contre l'envahisseur. Après un terrible combat qui dura des heures, l'armée française et la milice sont parvenues à repousser les Anglais. Apprenant la nouvelle, Mathilde s'est élancée vers le champ de bataille le sourire aux lèvres. Malheureusement, une fois sur place, elle a reconnu le corps sans vie de son amoureux. Folle de chagrin, elle est retournée à la ferme de ses parents, où elle a enfilé sa robe de mariée, avant de se précipiter dans le vide du haut de la chute. Depuis ce temps, de nombreux témoins racontent avoir vu une forme blanchâtre courir de l'ancien champ de bataille et se jeter dans les remous de la chute. La Dame blanche est également considérée comme un esprit protecteur qui vient en aide aux enfants perdus. Par contre, toute personne qui touche sa robe de brume mourra dans les jours qui suivent.

L'histoire de la guide est suivie d'un lourd silence, uniquement brisé par le bruit lointain de la chute qui continue inlassablement à se déverser dans son bassin. Puis, la jeune femme tape dans ses mains en souriant, avant de leur proposer de continuer la visite.

Sophie est troublée par cette légende. Alors qu'elle suit le groupe, elle remarque brièvement une femme d'âge mûr qui se tient en retrait du bâtiment et qui semble regarder dans sa direction. Lorsque Sophie se dirige vers les chutes avec les autres, la femme tourne les talons et s'éloigne.

14

Arrivée au pied du bassin, Sophie lève la tête vers la chute et elle aperçoit les autres élèves, qui ont préféré la randonnée pédestre. Alors que ces derniers s'engagent sur le pont suspendu, elle sort son appareil photo et prend des clichés des jeunes, qui semblent avoir un plaisir fou à enjamber l'énorme chute qui produit un vacarme épouvantable, même si elle est partiellement gelée. Sophie voit Émilie éclater de rire alors que les embruns l'éclaboussent ; elle ressent une pointe de regret à l'idée de ne pas être avec son amie en ce moment. Mais elle se reprend rapidement et en profite pour prendre quelques photos de la chute elle-même, ainsi que du pain de sucre qui se trouve au pied de celle-ci.

Soudain, les nuages couvrent le soleil. Sophie, l'œil fixé à son objectif, croit entrevoir une forme humaine dans les trombes d'eau. Curieuse, elle abaisse son appareil photo et s'avance vers la chute. Au départ, elle ne voit que l'eau qui tombe sans arrêt, mais en tournant légèrement la tête, elle distingue clairement une silhouette féminine. Surprise, elle s'empresse de prendre une photo. Mais lorsqu'elle la regarde sur l'écran de son appareil, la forme n'apparaît pas.

À l'heure du dîner, les deux groupes se retrouvent à l'aire de pique-nique. Sophie mange avec Émilie.

— Et puis, Émilie, comment as-tu trouvé ta traversée de la chute ?

— C'était complètement fou ! On avait beau essayer de se parler, mais même en criant on ne s'entendait pas par-dessus le bruit. C'était comme être au milieu d'un orage. Et toi, le blabla historique, ça t'a plu ?

— Oh, arrête ! Pour ton information, c'était très instructif.

Sophie se tait et repense à l'étrange phénomène qu'elle a observé lorsqu'elle était au pied du bassin.

— Hey ! Je voulais te dire ça… en prenant des photos de vous autres sur le pont et de la chute, je pense que j'ai vu la Dame blanche !

— Hein ? Ben voyons donc, ça ne se peut pas !

— Je te le jure ! Au début, je ne savais pas trop ce que je voyais, mais quand je me suis approchée, j'ai compris que c'était elle.

— Est-ce qu'elle t'a vue ? Elle t'a dit quelque chose ?

— Non, je ne pense pas qu'elle m'ait vue. Et non, elle n'a rien dit. Elle est restée là, dans la chute, à peine quelques secondes, et après, elle avait disparu dans la bruine.

— Wow ! C'est vraiment spécial, ça ! C'est plate que tu n'aies pas réussi à la prendre en photo.

— Ben, en fait, je pensais avoir réussi, mais quand j'ai regardé sur mon appareil, elle n'apparaissait pas sur la photo. C'est vraiment bizarre.

— Si ça continue, je vais commencer à croire que tu as raison à propos de l'existence des créatures fantastiques !

Sophie ne veut pas gâcher l'enthousiasme de son amie, mais elle doute tout de même un peu de ce qu'elle a vu.

— Peut-être que je me fais des idées, aussi. Peut-être que c'était seulement un jeu de lumières qui se sont reflétées dans l'eau.

— Ben moi, je pense que tu l'as vraiment vue, la Dame blanche. Et ça s'ajoute à ce que j'ai trouvé sur Internet, à propos de la fameuse « bête à grand'queue ». Et ça, ça veut dire qu'il va falloir qu'on fasse vraiment attention.

— Attention ? À quoi ?

— Ce n'est pas parce que la Dame blanche a l'air pacifique que toutes les créatures qu'on va rencontrer vont l'être aussi. Je suis désolée, mais je n'ai vraiment pas envie de me faire bouffer par Big Foot !

— Franchement, Émilie ! Tu exagères un peu, là ! Et de toute manière, je suis désolée de te dire que Big Foot ne fait pas partie du folklore canadien-français. Ni de celui des autochtones du Québec, d'ailleurs. Tu écoutes trop *X-Files* et *Grimm,* ma pauvre !

— Tu comprends ce que je veux dire !

— Oui, oui, c'est bon... On va faire attention, promis.

— Parfait. Bon, vas-tu manger ton brownie ? Parce que j'ai encore un peu faim, moi.

— Émilie Dufresne, tu es épouvantable ! Prends-le, mon brownie, et étouffe-toi avec !

— Hey ! C'est pas très gentil, ça ! Je me demande ce que ta mère penserait de ça.

— Pfff ! Ma mère serait totalement d'accord avec moi !

Les deux filles éclatent de rire. Elles se hâtent de terminer leur repas, puisque la journée n'est pas encore finie. Le prochain arrêt du groupe est l'île d'Orléans, où ils resteront pour le repas du soir et pour la nuit. Sophie est impatiente d'y arriver ; elle n'a jamais visité cette île, malgré sa proximité avec Québec.

15

Une fois les déchets ramassés et les sacs refaits, madame Thouin invite les élèves à retourner à l'autobus. Avant d'y monter, Sophie se retourne une dernière fois pour regarder la chute, espérant revoir la Dame blanche. Mais il n'y a que de l'eau, et la jeune fille monte à bord en secouant la tête.

Encore une fois, le trajet se déroule dans la bonne humeur. L'autobus atteint le pont qui relie Québec à l'île d'Orléans au tout début de l'après-midi. Sophie, assise à côté de la fenêtre, contemple le Saint-Laurent, où quelques plaques de glace dérivent au gré du courant. Elle se demande quelles légendes sont associées à cet endroit et se promet de consulter le journal de son grand-père dès qu'elle aura du temps. Elle est curieuse de savoir s'il est déjà venu ici et ce qu'il y a vu.

Pendant qu'ils traversent en direction de Saint-Pierre-de-l'île-d'Orléans, madame Thouin se lève et prend la parole.

— Excusez-moi, j'ai quelques informations à vous transmettre !

L'enseignante laisse le brouhaha ambiant se calmer en souriant, avant de poursuivre :

— Comme vous le savez, nous allons passer la nuit ici, avant de reprendre la route demain en fin de matinée. Nous avons la chance d'avoir pu réserver la maison Chaumonot, une immense demeure située tout près du fleuve. Nos guides nous y attendent. Ils nous feront visiter la municipalité avant de nous laisser pour la soirée. Exceptionnellement, nous vous donnons quartier libre, mais...

À ces mots, tous les élèves crient de joie, empêchant la professeure de continuer. Lorsque tout le monde a réussi à contenir son enthousiasme, elle termine sa phrase.

— Je disais donc que vous aviez la soirée pour vous, mais vous devez rejoindre vos chambres au plus tard à 22 h.

Cette fois, un concert de grognements déçus lui répond.

— Désolée, les jeunes !

L'enseignante se rassoit et laisse les élèves discuter entre eux de manière animée. Quelques minutes plus tard, l'autobus s'arrête devant une très grande maison située à quelques mètres du fleuve, devant laquelle un groupe de guides locaux attend leur arrivée. Lorsque les élèves sont descendus, les professeurs leur demandent de se regrouper par deux, afin de leur attribuer les chambres. Sophie regarde autour d'elle, lorsqu'Émilie lui tape sur l'épaule. Elles se regardent en souriant et se dirigent à l'intérieur. Une fois les bottes et les manteaux enlevés, les deux amies traversent une immense salle à manger, dont le centre est occupé par trois longues tables de bois massif. Leur chambre est à l'étage, près de l'escalier. Sophie précède son amie et siffle d'admiration lorsqu'elle découvre la décoration. Les meubles sont en bois, peints en blanc, et semblent tout droit sortis de chez l'ébéniste. Un lustre pend du plafond, mais pour l'instant, c'est l'immense fenêtre qui donne sur le fleuve qui fournit l'éclairage de la pièce. Émilie, quant à elle, s'exclame en constatant qu'elles ont une salle de bain privée. Une fois qu'elles ont terminé de s'installer, elles redescendent au rez-de-chaussée où les attendent le reste du groupe et leurs guides pour l'après-midi. Un jeune homme souriant se charge du début de la visite.

Après que tout le monde a enfilé bottes, foulards et manteaux, le guide précède les élèves à l'extérieur et étend les bras :

— Bienvenue sur l'île d'Orléans, là où l'Histoire et les légendes se rencontrent ! Avant que Jacques Cartier ne baptise l'endroit en l'honneur du duc d'Orléans, en 1536, les Autochtones la désignaient comme « Ouindigo », mot algonquin qui signifie « coin ensorcelé ». Comme vous pouvez le constater, la réputation mystérieuse de l'île ne date pas d'hier !

Fascinée, Sophie écoute le guide. Elle suit le groupe qui marche sur la grève, pendant que le jeune homme continue ses explications :

— Il s'agit de l'un des plus anciens lieux de colonisation de la Nouvelle-France, puisque la première seigneurie, celle de Sainte-Famille, y a été fondée en 1661. Pendant longtemps, elle a été appelée « l'île aux sorciers ». Savez-vous pourquoi ?

Les élèves échangent des regards interrogateurs, puis quelques-uns tentent une réponse :

— Parce que c'était un lieu de rassemblement pour ceux qui faisaient de la magie noire ?

— Parce qu'on y a brûlé des gens accusés de sorcellerie ?

— Ben... parce que des sorciers habitaient sur l'île ?

Le guide écoute les différentes hypothèses en souriant, puis reprend la parole :

— Il y aurait deux explications rationnelles. La première veut que, dans les premiers temps de la colonie, les navires français étaient très peu nombreux, et leur arrivée était toujours attendue avec impatience dans la colonie. En effet, ces bateaux apportaient souvent des vivres et des matériaux essentiels. Et les gens de Québec avaient pris l'habitude de consulter les habitants de l'île d'Orléans, parce qu'ils étaient d'habiles navigateurs. Comme ils avaient répondu avec justesse à quelques reprises, on leur a donné le titre de sorciers.

Les jeunes ricanent, et Sophie elle-même est incrédule. Elle n'arrive pas à comprendre comment on peut croire que quelqu'un qui a raison de temps à autre peut être considéré comme un magicien. Cette manière de penser la dépasse complètement.

— La deuxième explication, ajoute le jeune homme, est liée à la présence d'anguilles. Autrefois, elles étaient très nombreuses sur les bords de l'île.

Chaque cultivateur avait un coin de pêche au bout de sa terre, et il y allait tous les jours pour récolter ses prises. À cause de l'heure variée des marées, les gens se rendaient à leur emplacement à différentes heures de la nuit, éclairés par des torches. Le nombre de ces lumières et leur apparition aléatoire ont fait dire aux gens de Québec que l'île devait être le site de rituels sataniques ou de sabbats de sorcières.

Cette fois, les réactions sont partagées. Aurélie, la rédactrice en chef du journal scolaire, ne peut retenir une exclamation dégoûtée :

— Ouache ! Des anguilles, c'est donc ben dégueulasse !

À côté d'elle, Daniel, l'un des membres du club de science et éternel gourmand, semble perdu dans ses pensées :

— C'est triste de savoir que tu pouvais être accusé de sorcellerie parce que tu avais une envie soudaine d'un pâté d'anguille au milieu de la nuit !

— On peut donc dire que les gens de Québec trouvaient qu'il y avait anguille sous roche !

Sophie, comme le reste du groupe, éclate de rire en entendant ce mauvais trait d'humour lancé par Patrick, clown de service et capitaine de l'équipe d'improvisation. Lorsque le calme est revenu, leur guide prend un air sérieux. Il ajoute, d'un ton dramatique :

— Même si l'île n'a jamais abrité de sorciers, ça ne veut pas dire qu'elle n'a pas sa part de mystère. Saviez-vous que c'est ici qu'on retrouve le plus grand nombre de feux follets au Québec ? On dit que ce sont les âmes des morts qui sont incapables de se rendre dans l'au-delà et qui sont condamnées à errer sur terre sous la forme de petites flammes. Les feux follets auraient aussi la particularité d'égarer les voyageurs dans des endroits dangereux. On raconte même qu'ils peuvent attaquer et brûler les gens et les animaux. Je ne vous conseille donc pas de sortir cette nuit, conclut-il avec un clin d'œil.

16

Sophie est fascinée par ce qu'elle vient d'entendre. C'est donc cela qu'elle a vu dans son rêve au cimetière Sous-les-Étoiles ! Elle connaissait vaguement l'existence des feux follets, mais elle n'a encore rien lu à ce sujet dans le journal de son grand-père. Elle se demande quelle âme s'est manifestée dans son rêve. L'adolescente frissonne à l'idée que c'était peut-être celle de son grand-père. D'un brusque mouvement d'épaule, elle rejette cette idée saugrenue et reporte son attention sur le paysage qui l'entoure.

Sans s'en apercevoir, les élèves sont arrivés au bout de la grève, à l'extrémité de l'île. Alors qu'ils refont le chemin en sens inverse, Sophie aperçoit la silhouette d'un moulin à farine, à l'intérieur des terres. Curieuse, elle s'approche du guide :

— Excusez-moi, c'est quoi, cet édifice ?

— Bien sûr ! Merci d'avoir posé la question. Je m'en serais voulu de passer à côté d'un tel monument !

D'un geste de la main, il arrête le groupe avant de pointer le bâtiment aux grandes ailes de bois immobiles.

— Ce moulin abrite une légende bien particulière. Par contre, je ne sais pas si j'ai le temps de vous la raconter.

Il se tourne ensuite vers les professeurs et lève un sourcil, comme s'il demandait leur permission. Madame Thouin lui fait un signe de la tête. Il se retourne alors vers le groupe et hausse les épaules :

— Il semble que nous n'ayons pas assez de temps pour une histoire, comme vous devez être rentrés à l'auberge à temps pour le repas, et il nous reste encore pas mal de marche à faire.

Le guide lève les mains pour tenter d'endiguer le flot de protestations.

— Si ça peut vous consoler, la légende du loup-garou de l'île d'Orléans est très connue. Vous la trouverez sans problème sur Internet. Sinon, notre brochure touristique en contient un résumé. Vous en trouverez des copies à l'auberge.

Madame Thouin enjoint ensuite aux élèves de revenir sur leurs pas.

Le groupe se met en marche sans que personne n'ose parler. Puis, Patrick lance :

— Ça vous dirait, une partie de Loups-Garous de Thiercelieux après le souper ? J'ai le jeu original et l'extension Pleine lune !

De nombreuses personnes acquiescent.

Durant le repas, les conversations vont bon train et Sophie tente de toutes les écouter. Une certaine Héloïse, qu'elle connaît peu mais qui est une amie de Sarah, est la première à se lancer.

— Pensez-vous vraiment qu'un loup-garou a déjà sévi sur l'île ?

Louis, un colosse qui fait partie de l'équipe de basketball de l'école, ne prend pas la peine de lui répondre. Sa voix enterre celle, plus discrète, de la jeune fille qui lui fait face.

— En tout cas, moi je suis déçu de savoir qu'il n'y avait pas vraiment de sorciers ici. Me semble que ça aurait été tellement cool si ça avait été vrai !

Le regard apeuré, Mélanie, une fille du club informatique que Sophie connaît de vue, se penche vers elle.

— J'espère ne jamais croiser de feux follets ! J'aurais tellement peur de connaître la personne dont l'âme est coincée sur Terre.

Avant que Sophie puisse répondre, Aurélie s'exclame :

— Ben voyons ! Comment tu pourrais savoir que c'est quelqu'un que tu connais ? Un feu follet, ça n'a pas de visage, non ?

D'un air renfrogné, Mélanie répond fermement à son opposante :

— Je suis sûre que je reconnaîtrais la personne ! Sinon, elle me ferait un signe pour me le faire comprendre.

Ce à quoi Aurélie réplique, d'un ton sans appel :

— De toute façon, je ne vois pas ce que ça change. Les chances pour que tu en croises un sont proches de zéro.

Marc, un autre membre de l'équipe de basketball, profite du silence inconfortable qui suit cette discussion pour ajouter son grain de sel :

— Une chance que c'est la même chose pour les loups-garous !

Cette fois, c'est Daniel, du club de science, qui répond, en levant les yeux au ciel :

— Ah, franchement ! Tout le monde sait que ça existe juste dans les films !

17

Après avoir fait la vaisselle, le groupe s'installe confortablement dans la grande salle commune. Louis allume un feu dans la cheminée, pendant que Patrick sort son jeu de Loups-garous pour distribuer les cartes. Il effectue un bref rappel des règlements et la première partie débute.

Sophie s'amuse tellement qu'elle ne voit pas le temps passer, et elle est surprise lorsque monsieur Poulin, un autre professeur de français, arrive dans la salle commune pour leur annoncer qu'il est l'heure de regagner leurs chambres et que le couvre-feu sera effectif dans trente minutes.

Malgré les nombreuses protestations, le groupe se sépare rapidement. Sophie suit Émilie jusqu'à leur chambre et enfile son pyjama en silence. Pendant que son amie se brosse les dents dans la salle de bain, Sophie va à la fenêtre pour regarder le paysage éclairé par la lune. Elle voit la lumière argentée se refléter sur l'eau qui s'étend au loin et elle se laisse bercer par le son des vagues qui viennent se briser sur le rivage. Perdue dans ses pensées, elle remarque des lueurs qui tremblotent près de la grève. Curieuse, elle approche son visage de la vitre et s'y colle le nez, en espérant avoir une meilleure vue. En plissant un peu les yeux, elle se rend compte que ce qu'elle a pris pour des lumières est en fait un groupe de flammes qui semblent bondir de manière aléatoire. Elle pousse un petit cri, sans pouvoir détourner le regard.

Lorsqu'elle sent une main se poser sur son épaule, elle sursaute et se retient pour ne pas hurler. Elle se retourne et fusille Émilie du regard. Cette dernière, la bouche pleine de dentifrice, hausse les sourcils :

— Que se passe-t-il ? Je t'ai entendue couiner !

— Premièrement, je ne comprends rien de ce que tu dis, avec tout ce dentifrice. Deuxièmement, j'ai été surprise, c'est tout.

— Par quoi ?

— Par ça.

Du doigt, Sophie indique les lueurs qui poursuivent leur étrange ballet sur la grève. Émilie jette un œil par la fenêtre et manque de s'étouffer. Elle se précipite à la salle de bain. Sophie l'entend se rincer la bouche et cracher. Quelques instants plus tard, Émilie est de retour à la fenêtre, le front collé contre la vitre.

— C'est ce que je crois ?

— Si tu penses à des feux follets, j'ai eu la même idée que toi.

— C'est complètement fou ! Habille-toi, on va aller voir ça de plus près !

— Es-tu folle ? C'est la nuit, les profs doivent attendre en bas que tout le monde soit couché, et le guide nous a dit que les feux follets pouvaient être dangereux. Il n'est pas question qu'on s'en approche !

— Tu sais que tu es ennuyeuse à mourir, quand tu t'y mets ?

— Peut-être, mais je suis sûre que tu me remercieras plus tard.

— Ah oui ? Quand ça ? Quand on va apprendre qu'un habitant de l'île a disparu durant la nuit et que le dernier endroit où on l'a vu, c'était justement sur la grève ?

— C'est ça, moque-toi tant que tu veux, on ne va pas plus loin !

Émilie croise les bras d'un air buté. Sophie sait qu'elle a eu gain de cause et que la mauvaise humeur apparente de son amie ne durera pas. En attendant, elle retourne son attention vers les lueurs suspectes, jusqu'à ce qu'elle entende la voix de madame Thouin, dans le couloir, qui demande à tout le monde d'éteindre les lumières et de se mettre au lit. Alors qu'Émilie éteint le lustre, Sophie se glisse sous son édredon. Lorsqu'elle entend son amie s'installer sous ses couvertures, elle lui lance, d'un ton moqueur :

— Bonne nuit, Émilie Winchester !

Un grognement lui répond. Sophie éclate de rire, puis ouvre le tiroir de la table de chevet d'où elle tire une brochure touristique. Elle allume sa lampe de chevet, lit quelques lignes, puis, sentant ses paupières se fermer, elle la dépose sur le petit meuble, éteint, se tourne sur le côté et s'endort.

GUIDE TOURISTIQUE OFFICIEL

ÎLE D'ORLÉANS :

Fertile en coups de coeur !

La légende du loup-garou de l'île d'Orléans

Il y a deux cents ans, le moulin de l'île appartenait aux frères Plante. Jean, l'aîné, en était le propriétaire, et son jeune frère Thomas lui donnait un coup de main durant la journée. Un soir, un quêteux frappa à la porte du moulin pour demander la charité. D'humeur peu serviable, Jean refusa de l'aider et l'expédia dehors à coups de pied au derrière. L'homme se dirigea ensuite vers la petite maison de ferme où habitait Thomas. Il frappa à la porte et demanda encore une fois la charité. Pas plus généreux que son aîné, le jeune frère rit au visage du quêteux, en le traitant de fainéant.

En sortant, le vieil homme fixa Thomas dans les yeux en marmonnant quelque chose entre ses dents. Puis il partit, et on ne le revit plus dans le coin. Une semaine plus tard, le soir de la pleine lune, Jean fut réveillé, aux alentours de minuit, par des hurlements épouvantables. En ouvrant la porte, il découvrit une créature haute comme un homme, mais avec des crocs, des griffes et du poil partout sur le corps. Pour se défendre, Jean envoya un grand coup de couteau au visage de la créature. Celle-ci se sauva en hurlant de douleur.

Le lendemain, Jean voulut prendre des nouvelles de son frère. Lorsque celui-ci lui ouvrit, il arborait une longue balafre sanglante en travers de la joue gauche, là où Jean avait tailladé le loup-garou la nuit précédente.

Après cet épisode, on raconte que Jean, dont les cheveux avaient blanchi prématurément, offrait le gîte et le couvert à tous les quêteux qui passaient par son moulin. Par la suite, on n'a plus jamais entendu parler du loup-garou de Saint-François.

18

Sophie marche en direction du vieux moulin. Tout est calme autour d'elle, la lune et les étoiles éclairent son chemin. Elle ne se souvient pas de s'être levée, ni pourquoi elle devait s'y rendre. Pourtant, elle continue de se diriger vers le bâtiment de pierre, sans se soucier de la rosée qui mouille le bas de son pantalon de pyjama. À mesure qu'elle s'approche, elle entend une espèce de crissement, comme si un objet dur grattait contre du bois. Curieuse, elle accélère le pas, tout en tendant l'oreille. Le bruit a cessé, mais des lumières apparaissent dans les fenêtres du deuxième étage du moulin, là où habitait Jean Plante. Mais ça ne ressemble pas à un éclairage électrique ni à une chandelle ou à une lanterne. En fait, les lumières apparaissent et disparaissent à intervalles irréguliers. « Des feux follets ! » pense-t-elle, nerveuse.

Malgré tout, elle s'approche encore de la tour de pierre aux grandes ailes immobiles, jusqu'à pouvoir poser la main sur la porte. Elle voit la poignée tourner violemment, et le panneau de bois tremble dans son cadre, comme si quelqu'un – ou quelque chose – voulait sortir à tout prix. Elle sursaute et laisse échapper un petit cri, mais elle ne retire pas sa main. Au contraire, elle la tend lentement vers le bouton, qui continue de tourner dans le vide, et elle l'agrippe fermement. À ce moment-là, la porte cesse de trembler, et Sophie sent plus qu'elle n'entend ce qui se trouve derrière la porte, attendant la suite des choses.

En bougeant lentement, comme si elle était une marionnette, elle tourne la poignée. La porte s'ouvre sans un bruit, dévoilant l'obscurité qui règne à l'intérieur du moulin. Sophie avance de quelques pas, tout en retenant son souffle. Elle tente de voir ce qui se trouve au-delà de l'encadrement, mais la lumière de la lune n'est pas suffisante pour éclairer la pièce. Sophie hésite à appeler pour savoir s'il y a quelqu'un dans le bâtiment, de peur de briser le silence. Alors qu'elle se décide à entrer, elle entend un grondement sourd au deuxième étage. De plus en plus anxieuse, elle se dirige vers l'escalier et tente d'apercevoir ce qui se trouve sur le palier au-dessus de sa tête. Les lueurs qu'elle avait aperçues aux fenêtres quelques minutes plus tôt ont disparu, et l'obscurité y est encore plus profonde qu'à l'endroit où elle se trouve.

Elle pose le pied sur la première marche, et le grondement reprend, comme un avertissement. En resserrant les pans de sa veste autour d'elle, elle réalise que ses mains tremblent. Elle respire profondément et gravit l'escalier jusqu'à l'étage supérieur. Arrivée sur la dernière marche, elle regarde autour d'elle, aidée par la clarté de la lune qui traverse les fenêtres de ce qui a dû être une cuisine. Celle-ci est dépouillée, et trois portes closes donnent accès aux chambres du logis. Indécise, Sophie avance de quelques pas.

Avant qu'elle ait pu se décider, la porte à sa droite s'ouvre violemment et rebondit contre le mur dans un grand « bang » ! Une créature plus grande que Sophie se dresse dans l'encadrement. Bien qu'elle se tienne debout, ses bras musclés et couverts de poils se terminent par des pattes aux griffes acérées. Tout le corps de la bête est recouvert d'une épaisse fourrure, et sa gueule allongée est ouverte pour montrer ses crocs luisants de bave. Mais ce qui terrifie Sophie au point où elle demeure figée sur place, ce sont les yeux de la créature. Ils sont d'une nuance de gris qu'elle connaît bien.

— Papa ? C'est toi ?

Les oreilles du loup-garou se dressent sur sa tête, et celui-ci avance de quelques pas, en laissant échapper un grondement grave, qui se répercute sur les murs de la cuisine vide.

— Voyons, Papa ! Tu ne me reconnais pas ? C'est moi, Sophie !

La bête continue d'avancer et Sophie, horrifiée, remarque de nouveaux détails. Alors qu'elle la croyait nue, la créature est vêtue des restes de ce qui ressemble à un uniforme militaire. Exactement comme celui de son père ! Et sa fourrure est de la même nuance de brun que les cheveux de Jean. Sophie laisse échapper un sanglot, ce qui semble irriter le loup-garou, qui secoue la tête, envoyant des filaments de bave éclabousser les murs.

Dans une dernière tentative pour raisonner son père, elle s'avance en tendant la main vers la créature. Celle-ci pousse un hurlement à glacer le sang et se précipite vers Sophie. Le loup-garou la renverse et, tout en la maintenant au sol avec ses pattes avant, hurle de nouveau. Puis il se penche vers son cou.

L'adolescente sent des crocs s'enfoncer dans sa gorge et lui déchirer la jugulaire…

Au moment où son sang jaillit à grands jets, Sophie se réveille en sursaut, un cri bloqué au fond de la gorge, dans ses draps trempés de sueur. La respiration haletante, elle ne parvient à se calmer que lorsqu'elle voit Émilie, profondément endormie, la bouche grande ouverte. « J'ai fait un cauchemar, mais c'était tellement vrai, tellement réel ! » Elle attend que son cœur reprenne un rythme normal et regarde son réveil, qui indique « 2 h 15 » en chiffres fluorescents.

Elle se lève, d'un pas mal assuré, et se sert un verre d'eau dans la salle de bain. Elle s'asperge le visage et regarde son reflet dans le miroir. L'image qu'il lui renvoie n'est pas très flatteuse : elle a les yeux agrandis par la peur, et ses cheveux noirs ébouriffés forment un halo autour de sa tête. Elle va à la fenêtre et regarde en direction de la berge, mais les lumières mystérieuses ont disparu. Puis, elle revient à son lit et s'allonge lentement. Elle écoute la respiration profonde d'Émilie, interrompue de temps à autre par de légers ronflements. Elle ferme les yeux, convaincue de ne pas être capable de se rendormir avant plusieurs heures, mais elle sombre rapidement dans un sommeil sans rêves.

19

En se réveillant le lendemain, elle conserve un souvenir flou de son cauchemar, tout au plus une impression de grande frayeur. Elle retrouve Émilie encore en pyjama, mais quand celle-ci lui demande si tout va bien, elle est incapable de répondre. Lorsqu'elle descend à la salle à manger pour le déjeuner, elle dévore ses crêpes avec appétit. Comme le groupe n'est attendu à la basilique Sainte-Anne-de-Beaupré qu'en début d'après-midi, ils partiront après le repas, ce qui leur donnera l'occasion d'explorer encore un peu l'île avant de poursuivre leur voyage.

Le reste de l'avant-midi est tranquille et bientôt, il est temps de mettre les valises dans l'autobus et d'embarquer pour la prochaine partie du voyage. Il fait beau et la route est dégagée, ce qui permet au groupe d'arriver à Sainte-Anne-de-Beaupré alors que les cloches sonnent 11 h. Sophie contemple avec ravissement la façade sculptée de la basilique. Elle n'est pas particulièrement croyante, mais avec un grand-père sculpteur, elle a appris à apprécier le travail bien fait. Le devant de l'édifice est majestueux, orné de statues de saints et de personnages religieux. Le sentiment de sacré et de grandeur ressenti en arrivant devant le bâtiment est rehaussé par la frise dédiée à sainte Anne, où on la retrouve à différentes époques de son existence. Les portes, recouvertes de cuivre repoussé à la main, sont tout simplement splendides. Sophie y reconnaît des scènes de la vie de Jésus, rendues avec un maximum de détails. Ce sont de véritables chefs-d'œuvre architecturaux. Alors que madame Thouin guide les élèves vers l'entrée, un prêtre sort de l'église et se dirige vers eux. Il ne correspond pas du tout à l'image que Sophie se fait des religieux, avec ses jeans et ses bottes de cowboys. Seuls sa chemise noire et son col romain rappellent sa véritable fonction. Arrivé devant eux, il leur sourit en ouvrant grand les bras :

— Bonjour, tout le monde ! Je suis le père Alfred Bessette. Je serai votre guide pour cette visite. Si vous avez des questions en cours de route, n'hésitez pas à les poser.

Après un nouveau sourire éclatant, il se retourne et les mène à l'intérieur de l'imposante basilique. Une fois dans le portique, il leur montre le plancher, où se trouvent trois losanges.

— Ce que vous voyez ici, ce sont les trois concupiscences de l'homme : le pouvoir, les richesses et le plaisir. Et avant que quelqu'un ne pose la question : non, l'Église ne condamne pas ces trois choses, mais disons que la modération a bien meilleur goût !

Son rire ne couvre pas tout à fait la remarque d'un étudiant que Sophie ne voit pas. Elle l'entend distinctement affirmer à quelqu'un d'autre que l'Église n'est absolument pas en position de faire la morale. Elle n'entend pas la réponse, s'il y en a une. Le père Bessette leur fait ensuite signe de s'avancer jusqu'à l'allée centrale, où sept médaillons sont incrustés dans le sol.

— Quelqu'un peut-il me dire à quoi font référence ces sept images ?

Encore une fois, Sarah est la première à lever la main. Le père Bessette lui indique qu'elle peut parler.

— Ils représentent les sept péchés capitaux : l'orgueil, l'avarice, l'envie, la colère, la luxure, la gourmandise et la paresse.

— Eh bien, je vois que certains d'entre vous connaissent bien leur catéchisme ! lance leur guide, avec un clin d'œil en direction de Sarah.

Ils poursuivent ensuite leur visite. Le père Alfred leur montre les bancs sculptés, les quatre piliers centraux où sont représentés les quatre évangélistes, les magnifiques vitraux qui colorent la lumière de multiples nuances, ainsi que la voûte décorée d'une immense mosaïque. Une quinte de toux retentit et Sophie se retourne, plus par réflexe que par réelle curiosité. Un prêtre, qui semble suivre le groupe de loin, tente sans succès d'étouffer le bruit qu'il produit dans son coude. Elle se retourne et oublie le prêtre pour concentrer son attention sur la visite. Arrivé devant un escalier, le guide leur fait signe de s'arrêter :

— Nous allons maintenant descendre sous la basilique, où se trouve la chapelle de l'Immaculée Conception, dédiée à Marie. Je vous laisserai du temps pour admirer les peintures qui ornent les murs, puis nous remonterons pour poursuivre la visite.

Les nombreuses peintures de différents styles, l'orgue majestueux qui trône contre le mur du fond, ainsi que les multiples mosaïques représentant des éléments de la nature ne semblent pas impressionner les élèves. Malgré la suggestion du père Bessette, le groupe termine rapidement son tour de la chapelle et rejoint l'escalier quelques minutes plus tard. Sans se laisser démonter, le guide leur sourit avant de les précéder dans l'escalier. De retour dans la basilique, il s'adresse de nouveau à eux.

— Je vais maintenant vous montrer la chapelle commémorative, qui se trouve à proximité de la basilique. Ce bâtiment a été construit en mémoire de la troisième église de Sainte-Anne, qui a été utilisée de 1676 à 1876. On l'a érigé en 1878, sur les fondations du transept de l'ancienne église.

Alors que les élèves se dirigent tranquillement vers la sortie, un cri se répercute sur les murs de la basilique et semble prendre toute la place. Sophie tente d'en déterminer l'origine, tout comme les autres membres du groupe, leurs professeurs et le père Bessette. Quelques instants plus tard, Patrick, qui est le plus proche de la sortie, laisse échapper un « tabarnak » bien senti, avant de placer une main devant sa bouche et de rougir devant ce blasphème sonore. Quand tout le monde se retourne vers lui, il pointe l'un des bénitiers, situé à gauche de l'entrée. Curieuse, Sophie s'approche et ce qu'elle voit la fige sur place : l'eau dans le petit récipient de métal est en train de bouillir ! Son regard est ensuite attiré par l'autre récipient, situé à la droite de la porte, où l'eau claire se colore d'un rouge profond, comme si on y avait ajouté du colorant. Louis s'avance et trempe le doigt dans le liquide rouge. Livide, il regarde le groupe :

— C'est du sang.

20

Avant que quiconque puisse réagir, un autre cri retentit, plus fort que le premier. Les élèves se retournent en bloc, et certains laissent échapper un gémissement craintif : les yeux de toutes les statues semblent pleurer des larmes de sang. Puis, sous leurs yeux ébahis, le grand crucifix situé derrière l'autel tourne lentement sur lui-même, jusqu'à ce que le Christ se retrouve la tête en bas. Tout le monde est immobile. Ce n'est que lorsque les vitraux s'obscurcissent les uns après les autres que l'immobilité générale est brisée. Tous les visiteurs se dirigent vers les grandes portes, qui s'ouvrent sur l'après-midi ensoleillé. En se rendant vers l'entrée, Sophie remarque un prêtre. C'est le même qui a eu une quinte de toux au début de leur visite. Il semble vouloir se cacher derrière une colonne. Mais la jeune fille étant plus curieuse de savoir qui peut masquer les vitraux de la basilique, elle en oublie rapidement l'homme.

Dans la panique, certains élèves sont bousculés. Heureusement, Sophie parvient à éviter le gros de la cohue en se déplaçant sur le côté, à l'écart des portes. Émilie la rejoint en jouant du coude, et toutes les deux observent, médusées, la foule qui se presse aux portes pour sortir. Sophie capte un mouvement du coin de l'œil. Elle se retourne et contemple, sur le mur de la basilique, le message qui semble avoir été écrit avec du sang : « Tu es à moi ! »

Elle sursaute lorsqu'Émilie met la main sur son épaule, mais elle ne se retourne pas. Sans savoir pourquoi, elle est convaincue que cette sinistre phrase lui est adressée. Toutefois, elle ne comprend pas pourquoi elle serait visée et ignore qui a bien pu écrire ce message. Son esprit est encombré par les nombreuses questions sans réponse qui y rebondissent. Elle a besoin de longues secondes pour comprendre qu'Émilie lui parle :

— Sophie, ça va ? Il faut qu'on s'en aille, madame Thouin va nous chercher.

Cette dernière phrase a l'effet d'une douche froide. Elle se retourne vers Émilie, lui agrippe le bras et marche rapidement vers les portes, en traînant son amie derrière elle. Lorsqu'elle émerge à l'extérieur, elle doit cligner des yeux à cause de la lumière. Elle fait signe à sa professeure de français qui fait le compte des élèves, mais plutôt que de rejoindre le groupe, elle se dirige vers le côté de la basilique. Émilie la rattrape et l'oblige à la regarder.

— Je peux savoir ce que tu es en train de faire ?

— Relaxe ! Je veux juste voir ce qui bloque les vitraux.

— Tu n'es pas sérieuse ? Tu ne trouves pas qu'on en a vu assez pour aujourd'hui ?

Non, justement, j'ai besoin d'en savoir un peu plus.

Pourtant, lorsqu'elle arrive à la hauteur des premiers vitraux, rien ne sort de l'ordinaire. Ils ne sont pas abîmés, et rien ne les recouvre. Émilie laisse échapper un soupir.

— Satisfaite ?

— Pas vraiment, répond Sophie en fronçant les sourcils. J'aimerais comprendre ce qui s'est passé ici.

— C'est pas vrai ! Ne me dis pas que tu es en train de te transformer en Véra ? Tu n'aurais pas des *scoobiscuits* dans tes poches ? J'ai un petit creux !

— Arrête de dire n'importe quoi. De toute manière, je ne vois pas comment des monstres auraient pu faire ça. C'est une église, quand même.

Pendant qu'Émilie cherche ses mots, Sophie retourne vers le groupe afin d'éviter qu'on s'inquiète de son absence. Louis, Héloïse, Patrick et Aurélie la voient arriver et la bombardent de questions.

— Hey, Sophie ! Où t'étais ?

— As-tu vu quelque chose ?

— Coudonc, t'es-tu perdue en chemin ? On commençait à s'inquiéter pour toi !

— Lâche-la donc ! Franchement, ce n'est pas grave si elle a eu peur.

Heureusement pour elle, monsieur Poulin lève les mains pour faire taire tout le monde. Lorsqu'il a le silence, il leur explique la suite des choses.

— Comme vous avez pu le constater, la fin de la visite a été quelque peu mouvementée. Nous avons discuté avec le père Bessette, et il a promis de nous tenir au courant lorsque cette situation aura été tirée au clair.

Sophie frissonne au souvenir encore vif du message sanglant qu'elle a lu dans la basilique.

— Je vous demanderais donc de monter dans l'autobus, afin qu'on puisse partir rapidement.

On sera plus tôt que prévu au mont Sainte-Anne. Je pense qu'on a tous mérité un peu de repos.

À ces mots, le groupe s'engouffre dans l'autobus. Tout au long du chemin, les spéculations vont bon train et les hypothèses les plus farfelues circulent. Marc est particulièrement énervé par les événements :

Oh my God ! C'était complètement fou ! On aurait dû appeler la gang de Québec-Paranormal pour qu'ils viennent enquêter !

Sophie soupire devant l'absurdité du commentaire, pendant que Daniel répond sèchement au basketteur.

— Ben voyons donc ! Je suis sûr qu'il y a une explication rationnelle à tout ça. On a probablement manqué une éclipse partielle pendant qu'on était dans la basilique, et c'est ça qui a rendu les vitraux opaques.

Malgré tout, Marc refuse de lâcher prise.

— Et comment tu expliques l'eau bénite qui s'est changée en sang ?

Aurélie répond à la place de Daniel et y va de son hypothèse.

— Probablement quelqu'un qui a fait une blague en versant du sirop de maïs teint en rouge dans les bénitiers.

À cette remarque, les élèves se regardent, à la recherche de quelqu'un qui aurait quelque chose à cacher. Tout le monde se tourne vers Patrick, qui secoue énergiquement la tête pour nier toute implication dans un tour aussi douteux. Sophie ne se joint pas à la conversation, demeurant perdue dans ses pensées. Elle ne peut s'empêcher de penser à ce qui s'est produit dans la basilique, mais surtout au message qui s'est imprimé dans son esprit. Lui est-il vraiment adressé ? Qui peut bien lui porter une telle attention ? Et surtout, est-ce pour cette raison que la Confrérie cherche à la faire surveiller, parce qu'elle pourrait être en danger ? Cette hypothèse lui paraît la plus probable, même si elle ignore totalement ce qui semble la guetter ainsi. Soudainement, le séjour de ski est relégué au second plan dans son esprit.

21

La discussion autour des événements survenus à la basilique s'est poursuivie longtemps, jusque sur les pistes de ski. Les élèves ont été séparés en petits groupes de cinq pour la répartition des chambres. Sophie est heureuse de se retrouver, pour les quatre prochains jours, avec Émilie, Sarah, ainsi qu'Aimée et Léonie, deux filles avec qui elle s'est liée d'amitié en début d'année.

Durant la première journée de leur séjour, Sophie prend plaisir à dévaler les pentes bordées d'arbres aux branches nues. La neige brille comme des diamants sous le soleil. À la fin de l'après-midi, elle prend une pause autour d'un chocolat chaud garni d'un supplément de crème fouettée. Le lendemain, elle préfère s'aventurer dans les sentiers de ski de fond, pour être en contact avec la nature. Elle respire à fond et se laisse bercer par le son de la rivière qui coule à proximité du sentier. Le soir, elle se prélasse avec ses amis devant le feu de foyer dans la salle commune de leur chalet, à parler de tout et de rien ou à jouer aux cartes. Pour son avant-dernière journée, Sophie veut profiter de la montagne au maximum. Elle enchaîne les descentes tout l'avant-midi, et troque ses skis contre une paire de raquettes l'après-midi.

Pour la dernière soirée au centre de ski, les professeurs ont organisé une surprise : une descente au clair de lune, avec des lampes frontales ! Sophie est émerveillée par le spectacle qui s'offre à elle une fois en bas de la montagne. Les différentes pistes sont illuminées par des lucioles, qui dévalent les pentes dans un ballet féérique. La jeune fille parvient enfin à mettre derrière elle les événements de la basilique, et rejoint Émilie et Sarah au remonte-pente pour une autre descente.

Le quatrième jour de leur séjour au mont Saint-Anne, à la veille de leur départ, Sophie passe une partie de l'avant-midi avec Émilie et Sarah à patiner sous de gros flocons qui tombent doucement. Puis, Louis suggère d'organiser une énorme bataille de boules de neige. Patrick propose d'opposer les gars aux filles. S'ensuit une mêlée générale qui dure près de deux heures. C'est madame Thouin et monsieur

Poulin qui annoncent la fin des combats en offrant une tournée de chocolat chaud pour tout le monde. Le soir venu, Sophie est épuisée et s'endort dès que sa tête touche l'oreiller.

Sophie est de retour aux chutes Montmorency, mais cette fois, la température y est beaucoup plus clémente, et le soleil brille. La jeune fille se dirige vers le pont suspendu. Lorsqu'elle y arrive, elle voit Émilie, debout sur la balustrade. Elle tente de courir, mais ses pieds refusent de bouger. L'adolescente essaie alors de crier à son amie de descendre, mais aucun son ne sort de sa bouche. Sophie a l'impression qu'une force invisible la maintient sur place et bloque ses cordes vocales. Elle tente de se débattre et d'émettre un son, mais sans succès. Lorsque la jeune fille relève la tête vers Émilie, elle la voit osciller d'avant en arrière, au gré du vent qui s'est levé. Les yeux agrandis par la peur, Sophie ne peut qu'assister, impuissante, au dangereux numéro d'équilibriste de son amie.

Soudain, une forme vaporeuse surgit de la chute et fait signe à Émilie. Sophie reconnaît la jeune fille fantomatique de son autre rêve. Celle-ci continue d'inviter Émilie à la rejoindre. L'adolescente avance d'un pas et tombe sans un bruit dans les remous au pied de la chute. La force qui retenait Sophie se dissipe d'un seul coup. L'adolescente se précipite vers la balustrade, d'où elle hurle le prénom de son amie. Dans un coin de son esprit, elle note avec un détachement qui la surprend que, cette fois, c'est bien sa voix qu'elle entend, et pas celle de son mystérieux hôte aux mains griffues. Elle scrute l'eau en contrebas en espérant apercevoir Émilie qui aurait miraculeusement survécu…

Puis, elle sent quelqu'un l'agripper par les épaules et la secouer sans ménagement.

Sophie ouvre les yeux, un cri bloqué dans la gorge, et voit sa meilleure amie penchée sur elle avec un grand sourire.

— Grouille-toi, la paresseuse, on va manquer le déjeuner !

Bouleversée par le cauchemar dont elle vient d'émerger, l'adolescente presse Émilie de descendre sans l'attendre. Une fois seule dans la chambre, elle s'enferme dans la salle de bain, où elle s'asperge le visage d'eau froide. Sophie tente de faire le point, mais tout s'embrouille dans son esprit. Elle ne parvient pas à comprendre le lien entre les deux rêves, ni pourquoi les chutes Montmorency semblent revêtir une si grande importance. Lorsque la jeune fille s'estime suffisamment remise de ses émotions, elle descend à la salle à manger, où les autres élèves sont en train de terminer leur petit-déjeuner. Puis, c'est déjà l'heure de faire les valises et de monter dans l'autobus pour le dernier segment de leur voyage : le village huron de Wendake. Durant le trajet, Sophie est incapable de partager la bonne humeur du groupe. Elle ne peut cesser de penser à la mort d'Émilie, qui lui a semblé si réelle. Elle feuillette le journal de son grand-père, à la recherche d'informations ou de confidences au sujet de cauchemars réalistes ou faits à répétition, mais elle ne trouve rien. Elle semble être la seule à vivre ce genre d'expérience déplaisante. Elle est tirée de ses pensées par madame Thouin, qui annonce leur arrivée imminente au site traditionnel huron.

Lorsque le groupe descend de l'autobus, un homme de grande taille, vêtu de manière traditionnelle, les accueille. Il ouvre grand les bras et leur sourit :

— Kwe ! Bienvenue chez les Hurons-Wendat ! Je me nomme Gabriel, et je vais vous faire découvrir notre mode de vie, ainsi que nos croyances et coutumes. J'espère qu'à la fin de votre visite vous aurez une meilleure compréhension du mode de vie autochtone.

Sophie sourit à Gabriel, mais elle se sent un peu mal à l'aise. Son grand-père et sa mère sont hurons-wendat et, même si elle est née d'un père blanc, elle l'est tout de même à moitié. Pourtant, elle connaît peu de chose sur les origines autochtones de sa famille. Son grand-père avait quitté Wendake pour aller à l'école, et il s'était installé en ville à la fin de ses études. Quant à sa mère, elle y était allée quelques fois, pour voir de la famille, mais sa dernière visite remontait à si longtemps que Sophie n'en gardait aucun souvenir. Sa mère n'avait ni le temps ni l'intérêt de lui raconter les mythes et légendes de la communauté. Quant à son grand-père, chaque fois qu'il souhaitait aborder le sujet avec elle, elle insistait plutôt pour qu'il lui raconte encore une fois une histoire qu'elle connaissait par cœur. C'est donc avec une légère appréhension quant à la réelle importance de son héritage huron-wendat pour elle qu'elle entame la visite.

22

En suivant le groupe, elle remarque une belle femme aux cheveux noirs noués en une longue tresse, habillée elle aussi à la manière traditionnelle, qui semble les suivre à distance. Sophie se demande si la femme est en train de la surveiller, mais elle rejette rapidement cette hypothèse, la mettant sur le dos de l'inquiétude causée par son récent cauchemar. Leur guide les mène vers une imposante structure de bois. Il ouvre la porte et invite le groupe à pénétrer à l'intérieur. Une fois entrée, Sophie est fascinée par ce qu'elle voit : toute la charpente est faite de billots de bois de différentes tailles, qui s'entrecroisent pour former une structure complète. Elle est surprise de constater que l'habitation comporte deux étages distincts. Curieuse, elle s'avance vers Gabriel.

— Excusez-moi, pourriez-vous me dire à quoi sert cette maison ?

L'homme se tourne vers le groupe :

— On vient de me poser une question pertinente.

Sophie rougit d'être le centre de l'attention, mais elle tient à entendre les explications du guide.

— La maison longue traditionnelle est à la fois un lieu de résidence, de rencontres pour la communauté et un entrepôt. Au niveau où nous nous trouvons, c'est l'espace d'habitation. On y retrouve des feux de cuisson, des lits et un espace commun pour qu'on puisse discuter tous ensemble. Au-dessus de vos têtes, ce qui constitue le deuxième niveau sert d'entrepôt, que ce soit pour les peaux, le matériel ou la viande que nous avons d'abord fait sécher. Le village se déplace traditionnellement à un rythme qui varie entre dix et trente ans, selon la fertilité des sols et l'abondance des ressources. On doit donc être en mesure de démonter et de transporter facilement les maisons longues. Évidemment, celle-ci est une reconstitution. Nous l'avons solidifiée pour qu'elle soit permanente, mais elle respecte la structure et les fonctions des maisons longues traditionnelles.

Sophie est heureuse d'en apprendre plus sur ses ancêtres et elle ressent un élan de fierté envers eux. Elle est fascinée par leur mode de vie en harmonie avec la nature et par l'ingéniosité dont ils font preuve dans leurs constructions. Elle aimerait tant en savoir plus sur cette communauté dont elle fait partie, du moins à moitié, et qu'elle apprend à peine à connaître.

Une fois les explications terminées, le guide leur laisse quelques minutes pour qu'ils puissent faire le tour de la maison longue. Sophie observe avec attention les objets, les lits, même l'armature de bois. Elle a l'impression de redécouvrir une partie d'elle-même. Il faudra qu'elle parle de cette visite à sa mère, en espérant que celle-ci pourra lui en apprendre davantage. Elle est surprise de voir à quel point son intérêt pour sa propre histoire s'est manifesté soudainement. Elle regrette de ne pas avoir écouté son grand-père lorsqu'il voulait l'initier aux traditions des Hurons-Wendat. Ironiquement, c'est sa passion pour l'histoire qui a motivé le choix de sa concentration actuelle à l'école. Mais elle comprend maintenant qu'il lui manquait tout un pan de son histoire personnelle, ainsi que de celle de sa famille. Et ce manque crée un vide qu'elle veut à tout prix remplir. Elle compte donc tirer le maximum de sa visite ici. Sophie songe à demander le titre d'ouvrages historiques à Gabriel, une fois la visite terminée. Elle pourra ainsi poursuivre sa découverte de ses racines quand elle sera de retour à la maison. Heureuse que ses craintes initiales se soient dissipées, elle reprend son exploration des moindres recoins de la maison longue. L'adolescente manque de bousculer la femme aux cheveux longs qui a suivi le groupe à l'intérieur.

Au bout de quelques minutes, Gabriel fait signe aux élèves de le suivre. Ils quittent le bâtiment, suivis de loin par la mystérieuse observatrice. Le guide les conduit vers le centre du village. Ils y trouvent une grande aire de feu, où s'empile une imposante pyramide de bois, en prévision du prochain feu à être allumé.

— Comme tous les peuples, les Hurons ont leurs mythes et leurs légendes. Aujourd'hui, je voudrais partager avec vous notre mythe fondateur, celui de la création de la Grande Île.

Sophie note mentalement de demander à Gabriel s'il en existe une version écrite, qu'elle pourra emprunter à la bibliothèque. Elle tourne ensuite son attention vers leur guide devenu conteur. Du coin de l'œil, Sophie remarque que la femme qu'elle a légèrement bousculée dans la maison longue est maintenant en train de manipuler un séchoir à viande, à quelques mètres de l'aire de feu. La coïncidence est trop grande. Sophie décide de ne pas la perdre de vue et d'être attentive à ses faits et gestes.

23

La voix de Gabriel ramène son attention vers leur guide.

— À l'origine, les Wendats habitaient dans le ciel. Un jour, la fille unique du chef tomba malade et aucun des médecins de la tribu ne fut en mesure de la guérir. On envoya donc un message à un vieux chaman, qui vivait en ermite. En voyant la jeune femme, le chaman demanda aux gens de la tribu de creuser sous les racines du pommier sauvage qui poussait près de la demeure du chef. Ils trouveraient de quoi la guérir en creusant à cet endroit. Ils devaient ensuite étendre la malade assez près du remède, pour qu'elle puisse le prendre simplement en tendant la main.

Plusieurs jeunes hommes se portèrent volontaires et creusèrent tout autour de l'arbre. Après quelque temps, ils virent le sol s'enfoncer et le pommier disparaître, emportant avec lui la jeune fille prise dans ses branches.

Le monde, en dessous du ciel, était constitué d'une grande étendue d'eau. Des oies sauvages nageaient et, lorsqu'elles levèrent la tête, elles virent un pommier et une jeune femme tomber du ciel. Pour la sauver, les oies s'approchèrent pour qu'elle atterrisse sur leur dos.

Une fois la jeune femme en sécurité, les oies convinrent que la meilleure chose à faire était d'aller voir la Grosse Tortue, qui pourrait ensuite convoquer un conseil de tous les animaux. Après quelques minutes de réflexion, quelqu'un suggéra qu'on tente de retrouver l'arbre tombé à l'eau, pour en rapporter un peu de terre prise entre ses racines. La Grosse Tortue acquiesça et ajouta que, si on pouvait obtenir cette terre, une île pourrait être créée, et la femme pourrait y vivre. Elle offrit même de porter cette île sur son dos.

La Tortue fit venir plusieurs animaux plongeurs, mais tous périrent, sans résultat. La Grosse Tortue, au désespoir, demanda une dernière fois si des volontaires voulaient tenter leur chance. Crapaud fit savoir qu'il essaierait lui aussi de rapporter de la terre. Les animaux se regardaient en riant de voir un animal si vieux, si petit et si laid, qui avait la prétention de réussir là où d'autres, bien plus habiles que lui, avaient échoué. La Tortue, au contraire, croyait que Crapaud avait peut-être une chance.

Ce dernier prit donc une grande respiration avant de disparaître sous l'eau. Après une attente interminable, Crapaud refit surface. Il se laissa glisser jusqu'aux côtés de la Grosse Tortue et cracha quelques grains de terre sur sa carapace, avant de retomber, sans vie.

Les animaux utilisèrent la terre pour en faire de la boue, qu'ils étendirent tout autour du bord de la carapace de la Grosse Tortue, jusqu'à ce que la terre forme une île et jusqu'à ce que l'île devienne assez grande pour que la femme puisse y vivre. Celle-ci y descendit, et l'île s'agrandit encore jusqu'à former un continent qui fut appelé Wendake, la Grande Île, sur lequel nous habitons encore aujourd'hui.

Alors que les derniers mots du guide résonnent encore dans les airs, le groupe entier est silencieux. Sophie s'apprête à applaudir le conteur quand celui-ci lève la main et reprend brièvement la parole.

— Pour avoir rapporté la terre et aidé ainsi à créer le continent, les Wendats ont appelé Crapaud « grand-mère ». C'est pourquoi nous ne devons jamais le blesser ni l'insulter. Alors si vous en croisez un pendant votre visite, veillez bien à vous montrer courtois !

Cette fois, les élèves éclatent de rire et applaudissent Gabriel. Celui-ci se lève en souriant et invite le groupe à poursuivre la visite, où ils seront initiés à la vie spirituelle huronne, à l'intérieur de la hutte à sudation. Cette dernière est formée d'une structure en demi-sphère, fabriquée en bois et recouverte de peaux. Comme la cabane n'est pas assez grande pour accommoder tout le monde, les professeurs scindent le groupe en trois. Lorsqu'elle pénètre à l'intérieur, Sophie constate que le sol est recouvert de sapinage. Elle remarque également une fosse creusée au centre de la hutte, dans laquelle se trouve une plateforme de bois où sont disposées de nombreuses pierres en pyramide. En s'approchant un peu, elle ressent une forte vague de chaleur, et elle comprend que les pierres ont été chauffées avant leur arrivée.

Une fois le petit groupe installé, un vieil homme, que Sophie n'avait pas vu en entrant, se lève et s'avance vers le centre de la hutte. Son visage est creusé de rides profondes qui accentuent son sourire chaleureux et qui mettent en évidence ses yeux noirs, enfoncés dans leurs orbites. Lorsqu'il prend la parole,

Sophie est surprise d'entendre une voix aussi forte et assurée. Elle avait plutôt imaginé un filet de voix, qui s'harmoniserait mieux avec la silhouette frêle du vieil homme.

— Je me nomme Jean, et je suis le chaman de Wendake. C'est moi qui communique avec les esprits et qui fais office de guérisseur. Je suis le gardien de la sagesse ancestrale de mon peuple et aujourd'hui, je souhaite la partager avec vous. Je ne vous ferai pas participer à un rituel particulier, parce que vous n'y avez pas été préparés, mais j'ai adapté une cérémonie pour vous. Je vais chanter une chanson traditionnelle réservée au rituel de sudation. Vous n'avez qu'à vider votre esprit et à vous laisser pénétrer par le chant et la musique. Si jamais vous avez trop chaud ou si vous sentez que vous êtes sur le point de vous évanouir, n'hésitez pas à aller nous attendre à l'extérieur. Ça ne devrait prendre que quelques minutes, mais certaines personnes supportent mal ce type de chaleur.

24

Le chaman entonne un chant. D'abord lents et à la limite de l'audible, le rythme et la force de la chanson augmentent graduellement. Au bout d'une minute, Sophie sent la sueur couler de tous les pores de sa peau, mais elle refuse de sortir, de peur de manquer la fin du rituel. Elle préfère enlever son manteau, qu'elle noue autour de sa taille. Soudain, elle se sent légère comme une plume. Elle a l'impression que son esprit se détache de son corps. Elle flotte un instant dans la hutte, avant d'être brusquement aspirée vers le haut. Quand l'adolescente ouvre les yeux, elle est assise à l'avant d'un canot d'écorce, dont elle sent le bois dur sous ses fesses. Le vent fait voler ses cheveux autour de sa tête, et les étoiles brillent dans le ciel. En tentant de se retourner pour voir si quelqu'un est assis derrière elle, Sophie comprend que, d'une manière ou d'une autre, le canot est en train de voler ! D'abord effrayée, elle est rapidement submergée par un sentiment de joie absolue à l'idée de prendre part à une chasse-galerie. Puis, aussi soudainement qu'elle a commencé, sa vision se termine. Sophie a l'impression d'être aspirée vers le sol. Lorsqu'elle ouvre les yeux, elle est de retour dans la hutte de sudation, et le chaman est sur le point de conclure son chant sur un crescendo. Juste avant, il regarde dans la direction de Sophie, et son attention est attirée par la tache de naissance sur l'avant-bras droit de la jeune fille. Celle-ci est convaincue qu'il échappe une note, mais il se reprend et détourne le regard, le temps de faire résonner les derniers mots.

Jean laisse quelques instants au groupe pour que tous puissent se ressaisir, puis il repousse la couverture qui obstruait l'entrée de la hutte. Les élèves sortent l'un après l'autre, laissant entrer une bouffée d'air frais à l'intérieur de la structure surchauffée. Sophie est la dernière à se lever. Et lorsqu'elle s'apprête à passer la porte, le chaman la retient d'un geste.

— Excuse-moi, jeune fille, mais j'aimerais te parler quelques instants. Ne t'en fais pas, je ne te retiendrai pas longtemps.

Intriguée, Sophie hoche la tête pour l'encourager à poursuivre.

— Connais-tu la signification de cette marque sur ton bras ?

— Ça ? C'est une tache de naissance, tout simplement. Ma mère, mon oncle et mon grand-père ont la même. Quand j'étais petite, on avait l'habitude de dire que c'était une marque secrète que seul le côté Huron de la famille possédait.

Le chaman semble réfléchir à ses prochaines paroles. Sophie se sent légèrement mal à l'aise face à son silence. Pourtant, sa curiosité est plus forte. Elle lui fait signe de continuer.

— Je ne veux surtout pas t'affoler, mais il est de mon devoir de te prévenir. Ce que tu considères comme une simple tache de naissance est en fait la marque d'une malédiction très puissante.

Sophie est sous le choc. De quoi parle-t-il ? Quelle est cette histoire de malédiction ? Elle hésite, ne sachant pas si le vieil homme cherche à se moquer d'elle. Pourtant, il ne la connaît pas et il n'aurait aucun intérêt à lui faire peur sans raison. Mais pourquoi son grand-père n'en parle-t-il pas dans son journal ? C'est le genre de chose qu'il n'aurait certainement pas gardée pour lui. Perplexe, elle décide d'essayer d'en savoir plus :

— Pourtant, personne dans ma famille ne m'a parlé d'une telle chose.

Elle s'arrête, craignant de révéler ses secrets à un étranger. Puis, elle réfléchit et en conclut que son grand-père aurait voulu qu'elle se confie à un membre de sa nation. De plus, le chaman lui inspire confiance. Elle sent que le vieil homme pourrait être l'une des rares personnes en mesure de l'aider à comprendre ce que son grand-père craignait tant. Elle inspire et se lance, en regardant le vieil homme dans les yeux, pour lui montrer le sérieux de ses propos :

— En fait, mon grand-père mentionne, dans son journal, l'existence d'un secret de famille qui semble particulièrement honteux. Mais quand j'ai tenté d'en parler avec ma mère, elle n'a rien voulu savoir et elle a prétendu qu'il n'existait rien de tel. Pensez-vous que les deux sont liés ?

Jean hausse les épaules, et Sophie est envahie par le découragement.

— Comme je ne connais pas la nature de ce secret, je ne saurais dire si c'est le cas. Tout ce que je sais, c'est que la malédiction est très puissante, pour se transmettre ainsi d'une génération à l'autre. L'un de tes ancêtres a probablement commis une offense assez grave pour être puni de cette manière. À ta place, je tenterais d'en apprendre davantage. Et je ne voudrais pas t'inquiéter, mais tu dois savoir qu'une seule entité est assez puissante pour lancer une telle malédiction : le Diable en personne.

Sophie sent un frisson lui remonter le long de la colonne, mais elle s'efforce de garder la tête froide. Oui, ce qu'elle vient d'apprendre est troublant, mais rien ne prouve que c'est vrai. Elle décide toutefois de jouer de prudence pour ne pas offusquer le chaman.

— Merci de m'avoir prévenue.

Elle serre la main de Jean. Ce dernier la regarde avec affection.

— Que ton chemin soit sans embûches, chère nièce. Et puisses-tu trouver la force dont tu as besoin dans ton héritage ancestral.

Surprise, Sophie ne peut qu'acquiescer en silence avant de sortir de la hutte, où elle manque de heurter une femme à la longue chevelure noire, elle aussi vêtue de manière traditionnelle. Celle-ci semblait sur le point d'entrer dans la tente, et Sophie s'excuse de sa maladresse. Elle rejoint ensuite le groupe, qui se dirige vers le fumoir et le séchoir, pour terminer la visite. Perdue dans ses pensées, elle n'écoute presque rien des explications du guide au sujet des modes de conservation de la viande. Malgré ses réflexions, elle regarde discrètement autour d'elle, mais la femme qui la suivait semble avoir disparu. Sophie est maintenant convaincue que c'est elle qui l'intéressait, même si elle ne sait pas exactement pourquoi. Un autre mystère à éclaircir... comme si elle n'en avait pas déjà assez sur les bras !

Lorsque la visite prend fin et que Gabriel les raccompagne, Sophie est soulagée. Elle n'en oublie pas pour autant de consulter leur guide, qui se fait un plaisir de lui recommander certains ouvrages pertinents sur les traditions et la culture des Hurons-Wendat. Elle rougit lorsque, apprenant qu'elle est à moitié huronne par sa mère, Gabriel la serre dans ses bras en l'appelant « cousine ». Puis, au moment de quitter le groupe, il se retourne vers les élèves et leur lance un dernier « au revoir », suivi de son équivalent wendat, *Önenh*, que tous lui renvoient, avec plus ou moins de succès sur le plan de la prononciation.

25

Durant le trajet de retour jusqu'à Québec, Sophie réfléchit à ce qu'elle a appris à Wendake, et à la vision qu'elle a eue dans la tente de sudation. Était-ce un aperçu du futur ? Cela paraît bien improbable. Pourtant, elle ne peut ignorer les rêves étranges qui se multiplient et qui semblent tous reliés au contenu du journal de son grand-père, ou encore à son expérience personnelle récente. Il faut vraiment qu'elle reprenne ses recherches à ce sujet dès que possible.

Même si elle est heureuse d'être de retour à la maison et qu'elle ne souhaite que s'enfermer seule dans sa chambre, Sophie tient à questionner sa mère au sujet du secret de famille mentionné dans le journal. Elle sait qu'elle s'engage sur un terrain miné, mais elle doit savoir si celui-ci est lié à la malédiction dont lui a parlé le chaman. Elle est convaincue que sa mère lui cache quelque chose.

Pour éviter de la brusquer, Sophie décide de ruser un peu. Le samedi matin, elle se lève tôt et prépare un déjeuner copieux. Une fois la table mise, elle réveille sa mère en lui murmurant que le café est prêt. Lorsque sa mère arrive dans la cuisine et aperçoit le festin sur la table, elle se tourne vers Sophie et lève un sourcil interrogateur.

— Quoi ? répond celle-ci, la bouche pleine. Ça fait longtemps qu'on ne s'est pas vues. Je voulais te gâter un peu.

Sa mère s'installe en grommelant et se sert une première tasse de café, qu'elle sirote. Sophie sourit en la regardant faire. Elle sait très bien que cela fait partie de son rituel matinal et qu'il ne sert à rien de lui parler de choses importantes avant qu'elle se soit servi une seconde tasse, agrémentée de trois sucres, cette fois. Sophie fixe sa mère et s'éclaircit la gorge. Mais elle prend la parole avant que sa fille ait le temps de se lancer.

— Et puis, ma grande, comment a été ton voyage ? Tu t'es bien amusée ?

— Oh ! on a eu beaucoup de plaisir, même si on a eu quelques... surprises !

— Ah ? Quel genre ?

— Tu ne me croirais pas si je te le disais. Par contre, j'ai appris quelque chose de vraiment particulier durant la visite du village huron. C'est drôle, ça concerne ma tache de naissance. Enfin, *notre* tache de naissance, ajoute-t-elle avec un petit rire gêné.

Cette fois, sa mère la regarde avec attention, les sourcils froncés.

— Ah oui ? Et qu'as-tu découvert à ce sujet ?

— Jean, le chaman, m'a dit que c'est la marque d'une malédiction très puissante, et qu'elle touchait tous les membres de ma famille maternelle. Je pense que ce serait lié au secret dont parlait grand-papa dans son…

Elle est interrompue par sa mère qui abat sèchement la main contre la table, faisant sauter les assiettes et les ustensiles dans un tintement sourd.

— Encore ces bêtises ? Franchement, Sophie, je t'ai déjà dit que ce n'étaient que des histoires inventées ! J'espère que tu n'as pas dérangé ce monsieur avec ces sottises ?

Sophie refuse de lâcher le morceau. Elle doit savoir, et elle refuse de croire à une simple coïncidence.

— Au contraire, c'est lui qui est venu me voir quand il a remarqué la tache de naissance sur mon avant-bras. C'est lui qui a insisté pour me prévenir. Il m'a dit que nous étions en danger. Aide-moi à comprendre, maman ! Tu n'as pas le droit de me cacher quelque chose d'aussi gros. Je suis assez vieille pour entendre la vérité. Fais-le pour moi et pour grand-papa !

Cette fois, Sophie a touché un point sensible. Sa mère recule sur sa chaise, comme si sa fille l'avait frappée. Elle porte la main à sa bouche, puis ses épaules s'affaissent. Un silence tendu s'installe entre elles, que Sophie n'ose pas briser. Finalement, sa mère pousse un profond soupir et la regarde droit dans les yeux :

— Je m'excuse, ma chérie, tu as raison. J'ai eu tort de m'emporter. Il n'y a pas de malédiction familiale, mais plutôt un secret honteux. Il finit évidemment toujours par ressurgir. Je pense que ça fait partie de ton héritage, même si c'est loin d'être agréable comme legs.

Sophie n'ose pas revenir sur ses doutes et ses craintes à ce sujet. D'un côté, elle tremble à l'idée que ce soit vrai. Mais de l'autre, comment se fait-il que son grand-père en parle si peu dans son journal ? Elle doit aussi prendre en compte le fait que sa mère ne croit absolument pas à cette histoire. Ce fameux secret de famille semble être au cœur du problème. Malgré les témoignages contradictoires, Sophie est curieuse d'en savoir davantage. Elle décide d'attendre de découvrir de nouvelles informations avant de choisir qui croire. L'adolescente lui indique donc de continuer. Elle prend une gorgée de jus pour s'empêcher d'interrompre sa mère.

— Ton arrière-arrière-grand-père, Ludger Picard, était un chaman huron reconnu. Il prenait soin de sa communauté et il était apprécié de tout le monde. Mais autant il était attaché à la nation huronne, autant il détestait les Mohawks. Personne ne savait exactement pourquoi, surtout que les conflits entre les deux nations étaient terminés depuis longtemps. Certains disaient qu'il abritait la mémoire de ses ancêtres et que ceux-ci avaient la rancœur féroce. Toujours est-il qu'il évitait soigneusement tout contact avec les Mohawks, quitte à envoyer quelqu'un le représenter lors d'événements où ceux-ci seraient présents.

Elle interrompt son récit pour prendre une longue gorgée de café. Sophie a l'impression que, même si sa mère la regarde, elle ne la voit pas. Comme si son attention était concentrée sur un passé que Sophie n'a pas connu, en dehors de cette histoire de famille qu'on se transmet d'une génération à l'autre, comme un cadeau empoisonné. Après cette pause, sa mère reprend son récit.

— Puis, il y a eu un hiver extrêmement dur. Les plus vieux membres de la communauté affirmaient que c'était la saison la plus rude depuis quatre-vingts ans. Il faisait si froid que les rivières étaient couvertes d'une couche de glace qu'il fallait casser chaque fois qu'on voulait puiser de l'eau. La neige tombait souvent et en grande quantité, effaçant systématiquement la trace du gibier. Heureusement, le village était bien préparé et avait de la nourriture et des peaux en abondance.

Un soir où Ludger prenait part à un rituel de purification dans la hutte à sudation, l'un des hommes du village fit irruption et lui expliqua qu'une famille avait besoin de lui, car la femme souffrait d'hypothermie. Ludger demanda des précisions, et on lui répondit qu'il s'agissait d'une famille mohawk qui s'était perdue en forêt alors qu'elle chassait.

Sophie retient son souffle. Elle se doute de la suite, mais elle veut l'entendre de la bouche de sa mère. Elle se contente de prendre une gorgée de jus et de grignoter une fraise, laissant sa mère continuer son histoire.

— En apprenant l'origine des gens qui avaient besoin d'aide, Ludger entra dans une grande colère et refusa net d'aller les voir. Personne n'osa lui avouer qu'on avait installé la famille dans une tente inoccupée. Les choses restèrent ainsi jusqu'au lendemain matin, où l'homme émergea de sa tente en pleurant. Faute de soins, sa femme était morte dans ses bras au lever du jour, et il se retrouvait seul pour élever leur jeune garçon. Il demanda à voir le chaman du village. Quelqu'un alla chercher Ludger, qui laissa encore une fois éclater sa colère. Mais avant qu'il puisse chasser l'homme et son fils, le Mohawk regarda le chaman droit dans les yeux et lui parla en huron : « Tu aurais pu nous aider, chaman, mais tu ne l'as pas fait. À cause de ton égoïsme, ma femme est morte. Puisque vous, les Hurons, êtes si proches du Dieu des Blancs, alors je te maudis. Qu'à ta mort leur Grand Cornu s'empare de ton âme et qu'il l'emporte avec lui. » Et il cracha aux pieds du chaman avant de récupérer le corps de sa femme et de quitter le village, suivi de son fils.

Personne ne dit mot, et la vie reprit peu à peu son cours normal. À la suite de ces événements, les gens évitèrent de plus en plus Ludger et ne vinrent plus le voir pour lui demander conseil. Le chef du clan finit par le remplacer dans ses fonctions de chaman, à la demande de la communauté. Il mourut quelques années plus tard, dans la solitude la plus complète.

26

Sophie est sous le choc et n'ose pas regarder sa mère. Elle comprend mieux maintenant son silence et son refus d'aborder la question. Mais au-delà de cette triste histoire, elle n'arrive pas à comprendre le lien entre la malédiction de Ludger et la tache de naissance qui semble se transmettre d'une génération à l'autre. Elle repense en frissonnant aux événements de la basilique Sainte-Anne-de-Beaupré et au message qui semblait lui être adressé. C'est peut-être une coïncidence ? Peu importe, elle va devoir se replonger dans le journal de son grand-père pour en avoir le cœur net.

Lorsque Sophie regarde sa mère, elle la voit pleurer en silence. L'adolescente ne pensait pas que ce secret familial l'avait tant marquée. Pourtant, elle sait que sa mère combat farouchement les stéréotypes associés aux Autochtones dès qu'elle en a l'occasion. Et même si Sophie n'est pas directement victime des préjugés, grâce à son père et à ses origines blanches, elle comprend quand même la honte que sa mère ressent à l'idée d'avoir quelqu'un comme Ludger dans ses ancêtres. L'adolescente se lève et s'approche d'elle pour la serrer dans ses bras. Mère et fille passent de longues minutes ainsi, sans parler.

Une fois en contrôle de ses émotions, sa mère reprend la parole :

— Tu comprends que ce que je t'ai raconté ce matin doit rester entre nous ? Je sais que c'est de l'histoire ancienne, mais je préfère que ce genre de chose demeure dans la famille.

— Pas de problème, maman, je comprends. Je n'en parlerai pas.

— Même pas à Émilie, d'accord ?

— Oui, maman, promis.

— Merci, ma chérie. Je suis contente d'avoir été honnête avec toi. Ça me soulage d'un grand poids.

— Je suis heureuse que tu aies eu assez confiance en moi pour tout me raconter.

Sophie sourit à sa mère, satisfaite de voir leur complicité toujours intacte. Elles terminent leur déjeuner. Pendant qu'elles font la vaisselle, Sophie tente un coup d'éclat :

— Oh ! pendant que j'y pense, ça te dérangerait si j'appelais papa pour lui proposer de passer demain ? Ça fait longtemps que je ne l'ai pas vu. On pourrait aller voir un film... tous les trois.

Elle sait que sa proposition est risquée, mais les dernières rencontres entre ses parents s'étant relativement bien déroulées, elle tente sa chance. Sa mère répond :

— Hum... bon, d'accord ! As-tu un film en tête ou préfères-tu qu'on en discute tous les trois, demain ? Et où veux-tu aller manger avant le cinéma ? Préfères-tu appeler ton père toi-même ou je m'en occupe ?

Sophie doit se retenir pour ne pas éclater de rire. Mais que se passe-t-il avec sa mère ? Y aurait-il une réconciliation dans l'air entre ses parents ? Il faudra qu'elle ouvre l'œil !

— Tu peux l'appeler pour lui proposer. De mon côté, je vais voir si Sarah et Émilie sont en ligne et si elles sont libres pour une journée de filles.

Soulagée, Sophie retourne dans sa chambre. Elle a besoin de se changer les idées, surtout avec ce qu'elle a appris ce matin. Elle jette un coup d'œil rapide au journal de son grand-père et décide, sur un coup de tête, de s'y plonger pour quelques minutes. Après tout, elle cherche des réponses et, pour l'instant, elle ne voit pas de meilleur endroit pour en trouver.

22 octobre 2016

Thomas est d'accord avec moi, il se passe quelque chose de grave. Les agressions de créatures fantastiques contre les humains se sont multipliées ces dernières semaines, et la situation devient préoccupante. Heureusement, il semble que les morts soient peu nombreuses, mais les événements se déroulent à la grandeur du Québec, comme s'il y avait une action organisée. Qui peut bien être derrière tout ça et quel bénéfice cette personne pense-t-elle retirer de ces troubles ? C'est à n'y rien comprendre, et la Confrérie est débordée. Il faut qu'on comprenne ce qui se passe, avant que la situation ne devienne hors de contrôle.

Sophie referme le journal et réfléchit aux implications de ce qu'elle vient de lire. Comment se fait-il qu'avec Émilie elles n'aient rien trouvé dans leurs recherches sur Internet ? La Confrérie aurait-elle réussi à étouffer toutes ces affaires ? Ça semble peu probable. À moins que les médias sérieux n'aient pas jugé bon de rapporter ces événements étranges ? Elle a beau se creuser les méninges, aucune solution logique et satisfaisante ne jaillit de ses réflexions. Elle décide donc de laisser ce problème de côté pour l'instant, et elle choisit de profiter de ses derniers jours de relâche pour passer un peu de temps avec Sarah et Émilie. Elle aura bien le temps de se replonger dans son enquête une fois l'école recommencée.

Elle se connecte à sa messagerie instantanée et constate avec joie que ses deux amies y sont déjà. Elle organise un après-midi à Place Laurier. Les filles conviennent de se retrouver directement sur place, même si Sophie sait très bien qu'elle va croiser Émilie dans l'autobus.

27

Une fois arrivées, les adolescentes font un premier arrêt au Sweet Factory pour une provision de bonbons. Elles poursuivent leur après-midi en pigeant allègrement dans leurs sacs remplis de sucreries. Sophie roule des yeux lorsqu'Émilie exige de faire un arrêt à l'Imaginaire, mais elle manque de s'étouffer lorsque Sarah confirme qu'elle aimerait y faire un tour, elle aussi.

— Venant d'Émilie, ça ne me surprend absolument pas. Mais toi, Sarah ? Qu'est-ce que tu peux bien vouloir aller faire là-dedans ? Ne me dis pas que tu es aussi une fan de *Fantasy* et de Lovecraft ?

Avant que Sarah puisse répondre, Émilie lève les bras comme un arbitre qui signale une faute durant un match du Rouge et Or.

— Je peux savoir ce que tu as contre le grand Lovecraft, Sophie Picard ? Et pour ton information, je lis aussi du fantastique et de la science-fiction ! Et je suis presque à court de lectures, donc je suis désolée, mais tu vas nous suivre sans rechigner, sinon je te confisque tes bonbons !

Émilie et Sarah éclatent de rire devant l'expression outrée de Sophie. Avant que celle-ci puisse se défendre, Sarah prend la parole :

— En fait, je veux voir s'ils ont reçu la nouvelle version du *Dungeon Master's Guide*. Ça fait déjà plusieurs semaines que je l'attends, et comme on a une soirée la semaine prochaine, j'aimerais me mettre à jour pour tenir mes joueurs au courant.

Cette fois, Sophie fixe son amie avec de grands yeux incrédules.

— Attends… tu es vraiment en train de me dire que toi, la première de classe, tu joues à Donjons et Dragons ?

— Euh… oui ! Pourquoi ? C'est un passe-temps comme un autre. Et Émilie m'écrit toujours des histoires incroyables. Mes joueurs en sont complètement accros.

Sophie ne sait plus laquelle de ses amies regarder, et elle se contente de fixer un point entre les deux.

— Donc, si j'ai bien compris, j'ai une amie qui est la clichée du *nerd*, et une autre qui écrit des histoires dans mon dos sans m'en parler ?

Sarah et Émilie se regardent, haussent les épaules et éclatent de rire.

Sophie secoue la tête, découragée, puis elle fait signe à ses amies d'avancer.

Une heure plus tard, le trio ressort du centre commercial. Émilie et Sarah avec un sac à l'effigie de l'Imaginaire, et Sophie en marmonnant dans ses bonbons au sujet de gens qui devraient se choisir un autre passe-temps. Les trois amies reprennent l'autobus pour rentrer chez elles. Émilie et Sophie saluent Sarah lorsqu'elle atteint son arrêt, puis elles continuent à papoter. En descendant de l'autobus, Sophie suggère à Émilie de venir souper chez elle, mais cette dernière avait promis à ses parents d'être là pour le repas. Elles se quittent après une dernière accolade et sur la promesse de se voir lundi matin.

En rentrant chez elle, Sophie se souvient que sa mère devait contacter son père à propos du lendemain. Quand elle la trouve dans la cuisine en train de préparer des pâtes en chantonnant, elle ne peut que se demander à quel point la conversation téléphonique entre ses parents s'est bien déroulée.

Il va vraiment falloir qu'elle soit attentive, durant cette journée ! Le repas se déroule dans la bonne humeur, et sa mère lui confirme que son père devrait arriver vers la fin de l'avant-midi. Ils choisiront le film tous les trois, ainsi que le restaurant où ils iront manger après. Sophie est épuisée par sa journée, mais satisfaite par la tournure des événements. Elle s'endort dès que sa tête touche l'oreiller.

Sophie n'a aucune idée de l'endroit où elle se trouve. Devant elle, un homme vêtu d'un manteau en poils de castor la regarde d'un air supérieur. Elle serre les poings jusqu'à ce que ses ongles longs et effilés s'enfoncent dans ses paumes. Pourtant, elle ne ressent aucune douleur. Elle n'a qu'une envie : déchiqueter, à mains nues, l'inconnu qui lui fait face. À cette pensée, elle se précipite vers lui, mais elle est ralentie dans son élan par une barrière invisible, qu'elle percute de plein fouet. L'homme la repousse sans difficulté et son sourire s'élargit. Lorsque son interlocuteur lui demande si elle est prête à écouter, elle hoche la tête. La voix de l'inconnu est alors enterrée par une sonnerie stridente qui résonne directement dans sa tête…

Sophie se réveille en sursaut, avant d'éteindre d'un geste maladroit l'alarme de son réveille-matin. Elle regarde autour d'elle pour s'assurer qu'elle est bien dans sa chambre. Satisfaite de son environnement, elle pousse un soupir de soulagement. Ce rêve était beaucoup trop réel à son goût, elle a encore les paumes douloureuses, là où elle a enfoncé des ongles qui n'étaient pas les siens. Elle ne sait pas pourquoi, mais elle est convaincue qu'elle voyait à travers les yeux de la même personne que durant son rêve aux chutes Montmorency, où elle a invoqué la Dame blanche. Qui est son mystérieux hôte ? Pourquoi semble-t-elle avoir une connexion avec lui ? Et quel est son rôle dans les événements qui chamboulent sa vie depuis la mort de son grand-père ? Tant de questions qui s'ajoutent à celles pour lesquelles elle n'a pas encore de réponse.

Elle se lève, bien décidée à mettre sa journée à profit pour reprendre ses recherches. Mais en sortant de sa chambre, elle se rappelle la visite de son père et les activités prévues avec ses parents. Elle pousse un grognement découragé et rejoint sa mère dans la cuisine pour prendre son déjeuner.

« Son mari assassiné devant ses yeux par la dame aux glaïeuls ! »

Maxime P. Bélanger
Le Saint-Laurent Portage
29 septembre 2016

« Des touristes français aperçoivent un bateau fantôme à Gaspé »

Laurent Faubert
Le Pharillon
4 octobre 2016

« Une femme abordée par un étrange nain jaune la veille de ses noces »

Marc-Antoine Nadeau
Le Radar
10 octobre 2016

« Des fêtards assistent à un étrange sabbat dans une forêt de Gatineau »

Catherine Desautels
Le Droit
24 octobre 2016

« Une baleine blanche cause la mort de trois pêcheurs de la Rivière-Ouelle »

Annie Melançon
Rivière-Web
2 novembre 2016

28

Même si elle n'a pas pu faire de recherches la veille, Sophie espère qu'Émilie a trouvé des pistes. Celle-ci arrive justement à son casier et elle semble particulièrement fière de quelque chose. Sophie ne peut s'empêcher d'être curieuse. Elle presse donc Émilie d'en venir aux faits, et son amie ne cherche pas à faire durer le suspense plus longtemps. Elle sort de son sac à dos une chemise cartonnée. Sophie l'ouvre et y découvre des coupures de presse imprimées. Les titres d'articles sont exagérément accrocheurs. Étonnamment, les différents événements semblent concentrés autour de l'automne précédent, soit quelques semaines avant le décès de son grand-père. Cette récolte la surprend et semble contredire son hypothèse au sujet des médias traditionnels qui ont peut-être peu d'intérêt pour des nouvelles de ce genre. Sophie s'abstient de mentionner ses doutes à propos du rôle de la Confrérie, mais elle fait quand même part de son raisonnement à Émilie. Celle-ci suggère d'ajouter un angle de recherche qui couvrirait les sites dédiés au paranormal.

Au cours des semaines qui suivent, Sophie alterne donc entre ses travaux scolaires et son exploration du Québec insolite. Elle ne peut s'empêcher d'être fascinée par ce qu'elle découvre. Il semble que les derniers mois ont été particulièrement riches en événements et phénomènes inexpliqués, si elle en juge par le nombre de références qu'elle déniche. On y retrouve, pêle-mêle, une chatte qui accouche d'une portée de rats à Victoriaville, la rivière Coaticook qui se serait mise à bouillir, une invasion de couleuvres près d'un lac à Thedford Mines et même une infestation particulièrement virulente de moustiques dans la région de Roberval, en plein mois d'avril. Dans ce dernier cas, on parlait même d'une annulation potentielle de la saison touristique.

Y aurait-il un lien entre ces manifestations étranges et les articles qu'Émilie lui a montrés ? Sophie n'ose pas aborder la question avec son amie, de peur de devoir parler du journal de son grand-père, mais elle se promet d'y revenir une fois seule.

Une chose est sûre, il est maintenant impossible de nier l'existence des créatures issues du folklore. Pourtant, elle est incapable de ressentir de la satisfaction à l'idée d'avoir amassé assez de preuves pour croire son grand-père. Qu'est-elle censée faire avec ces informations et cette certitude ? Elle ne peut pas aller voir les médias, et encore moins la police. Personne ne la croirait. Il lui reste bien la piste de la Confrérie, mais là encore, elle ne peut pas mettre Émilie dans la confidence. Elle n'a plus qu'à espérer que le mystérieux jeune homme mandaté par Thomas pour la surveiller se manifeste bientôt. De cette manière, elle pourra tenter d'établir un contact avec lui pour discuter de la situation.

En attendant, elle doit trouver un moyen d'occuper son amie afin d'avoir du temps pour poursuivre ses propres recherches, préférablement dans le journal de son grand-père. Sophie espère que le cahier contient encore des informations cruciales qui l'aideront à libérer l'âme de Laurier de l'emprise du Diable. Heureusement pour elle, l'école constitue une excellente distraction.

Concentrée sur ses travaux scolaires et ses recherches paranormales, elle en oublie le reste. Elle est donc surprise lorsque sa mère lui rappelle, un matin de la fin mars, qu'elles ont rendez-vous la fin de semaine suivante avec son oncle et sa tante. Il semble que ce soit le meilleur moment pour enfin s'attaquer au ménage et au tri des affaires de son grand-père. Comme son père a promis d'aider, sa mère a sauté sur l'occasion pour disposer de main-d'œuvre supplémentaire.

C'est ainsi qu'elle se retrouve, par un samedi d'avril ensoleillé, en voiture avec sa mère, en direction de Saint-Jean-Port-Joli. Celle-ci a allumé la radio pour chanter à tue-tête les derniers succès. Sophie n'hésite pas longtemps à se joindre à elle. Le voyage s'effectue dans la bonne humeur et la musique. Ses parents s'étaient donné rendez-vous directement à la maison de son grand-père. À leur arrivée, Sophie constate avec joie que son oncle et sa tante les y attendent également. Cette dernière serre sa nièce dans ses bras avant de regarder ses parents d'un air sévère.

— Je sais ce que vous avez prévu pour aujourd'hui, mais vous venez manger avant de vous mettre au travail. Pas question que vous mettiez la maison à l'envers le ventre vide !

— De toute manière, j'ai promis d'aider ton père pour les gros meubles, ajoute son oncle. Déplacer des grosses charges, c'est un travail d'hommes ! lance-t-il avec un clin d'œil.

Sophie ne peut s'empêcher d'éclater de rire devant l'air faussement offusqué de sa mère. La jeune fille est heureuse de les revoir. Sa tante a préparé de la nourriture en quantité industrielle, mais elle se justifie en riant :

— Vous avez beaucoup de travail à faire, et l'ouvrage, ça creuse ! Alors, mangez autant que vous voulez, il y en a assez pour tout le monde !

Une fois rassasiés, Sophie, ses parents et son oncle discutent de l'organisation du travail. Tous conviennent qu'il vaut mieux vider les armoires et les placards avant de commencer le tri. La maison a beau être grande, à quatre, ils vont se marcher sur les pieds. Sophie propose donc de les laisser travailler pour cette première journée. De son côté, elle ira se promener dans le village. Sa mère est d'accord, mais elle insiste pour que Sophie soit de retour pour le souper et ajoute qu'en cas de problème elle n'a pas à hésiter pour appeler sa tante. Finalement, elle lui fait promettre d'être prudente. Une fois les conseils maternels acceptés, Sophie l'informe qu'elle projette surtout de passer au musée pour regarder la collection de sculptures de son grand-père. Son idée suscite l'enthousiasme de sa mère, qui la laisse enfin partir.

29

En sortant de chez son oncle et sa tante, Sophie se dirige résolument vers le bord du fleuve. Après une vingtaine de minutes de marche, elle arrive en vue du magnifique bâtiment qui abrite le musée. En approchant de la porte, elle constate que les lumières sont éteintes. Une affichette indique que le musée est fermé jusqu'à la première fin de semaine de mai. Déçue, Sophie place ses mains en coupe sur la vitrine de l'immeuble et tente d'apercevoir quelque chose à l'intérieur.

Elle s'éloigne en soupirant, résignée à attendre l'ouverture du musée pour y revenir. Désœuvrée, elle marche sur l'avenue de Gaspé, avec le fleuve à sa gauche comme une présence rassurante, sans savoir où elle s'en va. Lorsqu'elle passe devant un fleuriste, elle s'arrête, songeuse. Elle fixe la devanture quelques instants, puis entre dans la boutique, où elle est assaillie par l'odeur des fleurs. Une jeune femme s'approche d'elle en souriant.

— Bonjour ! Je peux vous aider ?

Sophie ne sait pas quoi répondre, de moins en moins sûre de son idée à mesure qu'elle y réfléchit. Puis, sur un coup de tête, elle répond :

— Oui, j'aimerais un bouquet, s'il vous plaît. Ce serait pour déposer sur la tombe de mon grand-père.

Après lui avoir offert ses condoléances, la femme lui assure qu'elle aura un bel arrangement qui lui plaira. Elle n'a qu'à patienter quelques minutes. En attendant, Sophie examine l'intérieur de la boutique. Lorsque la fleuriste lui présente son bouquet, Sophie sourit et la remercie. Après avoir payé les fleurs, elle s'informe auprès de la jeune femme sur le meilleur chemin pour rejoindre le cimetière.

— Ce n'est vraiment pas compliqué, vous allez voir ! Vous continuez jusqu'au chemin du Roy, où vous tournez à droite. Arrivée à la route de l'Église, vous tournez encore à droite. Ensuite, le cimetière sera à votre droite. Vous en avez pour environ une demi-heure de marche.

Satisfaite, Sophie remercie encore une fois la fleuriste et sort de la boutique, son bouquet dans une main. Une fois à l'extérieur, elle consulte sa montre et constate avec satisfaction qu'elle a amplement le temps de se rendre au cimetière pour se recueillir sur la tombe de son grand-père.

***

Trente minutes plus tard, Sophie arrive en vue du cimetière. Elle franchit la grille par la petite porte. En parcourant les allées, Sophie sent de nouveau le chagrin l'envahir, mais elle repousse sa peine du mieux qu'elle peut. Elle veut en finir avec ce vide et espère que le fait de voir la tombe lui permettra d'atténuer son chagrin.

Quelques instants plus tard, elle trouve la stèle de son grand-père, sur laquelle elle dépose les fleurs. Puis, tout naturellement, elle s'assoit devant la tombe et commence à parler.

— Bonjour, grand-papa. Comment ça va ? Bon, je sais que c'est bête comme question, mais c'est tout ce que j'ai trouvé pour briser la glace. J'espère que tu ne m'en veux pas trop !

Sophie rit doucement à l'idée que son grand-père puisse être fâché de cette entrée en matière plutôt maladroite. Elle reprend son monologue, en regardant droit devant elle.

— Tu sais que tu me manques terriblement ? Tu n'avais pas le droit de partir aussi vite ! On avait tant de choses à faire ensemble, encore. Je voulais que tu me voies grandir, que tu assistes à ma remise de diplôme, que tu sois fier de moi !

Elle essuie distraitement ses larmes, sans arrêter de parler.

— Je comprends pourquoi tu tenais tant à me donner ton journal. Par contre, j'avoue que je ne sais pas encore exactement ce que je vais faire avec les informations que j'y ai trouvées. Et en même temps, j'ai l'impression qu'il me manque des pièces du casse-tête, comme si tu ne m'avais pas tout dit, ou que toi-même tu ignorais certaines choses.

Elle poursuit son monologue, sans remarquer le mystérieux jeune homme qu'elle cherche tant à joindre, qui fait semblant de se recueillir sur une tombe à proximité, tout en observant ses moindres mouvements. Soudain, l'air autour de Sophie se met à trembler, agité par des secousses invisibles. Elle a l'impression qu'un orage approche, même si le ciel au-dessus de sa tête est bleu. Elle sent ses cheveux se dresser sur sa nuque, et les poils de ses bras se hérissent. Elle regarde autour d'elle, désorientée, et tente de déterminer l'origine de cette étrange perturbation.

30

Lorsque Sophie reporte son attention sur la tombe de son grand-père, elle laisse échapper un cri de surprise : une flamme bleutée flotte au-dessus de la pierre tombale. L'adolescente comprend tout de suite qu'il s'agit d'un feu follet. Sans hésiter, elle s'approche de l'apparition fantastique, qui oscille comme si une brise la faisait danser. Son rêve lui revient en mémoire. Elle est décidée à vérifier ce qu'elle n'a pas pu y voir. En apercevant ce qui se trouve à l'intérieur de la flamme, elle porte les mains à sa bouche pour étouffer un gémissement. Elle est incapable de détourner son attention du visage de son grand-père, dont les traits sont tordus par la douleur.

Sophie ferme les yeux, mais elle ne peut ignorer la lumière bleutée qui traverse ses paupières. Lorsqu'elle les ouvre, quelque chose a changé. Elle a l'impression que son grand-père l'a vue, parce qu'il essaie de dire quelque chose. Sophie n'entend rien. Elle se rapproche, dans l'espoir de capter au moins quelques paroles. Peine perdue, il n'y a aucun bruit, pas même les crépitements auxquels elle s'attendait en voyant cette flamme bleue danser au-dessus de la tombe. Elle s'approche encore un peu. Cette fois, elle parvient à lire sur les lèvres de son grand-père. « Sauve-moi ! Aide-moi ! » Quatre mots répétés comme une litanie qui lui glace le sang.

Lorsqu'elle sort de son immobilisme, elle tente de communiquer avec lui :

— Dis-moi ce que je dois faire.

Mais il ne fait que reprendre encore le même appel, comme s'il ne pouvait pas l'entendre. Désespérée, Sophie éclate en sanglots.

Caché derrière une pierre tombale, le jeune homme assiste à la scène. Après un court moment d'indécision, il rejoint Sophie et lui place une main sur l'épaule, comme pour la réconforter. Elle se retourne et, sans surprise, constate que le dernier élément de son rêve vient de se mettre en place. C'était lui qu'elle avait vu dans sa vision. Elle lui sourit brièvement à travers ses larmes, puis retourne son attention vers la tombe de son grand-père. Après quelques minutes, elle parvient à se calmer et à reprendre ses esprits. Elle constate que le feu follet est en train de s'estomper, et que le visage de son grand-père disparaît en même temps.

— Je vais trouver un moyen de te sortir de là, grand-papa.

Dans un « pop » sonore, la flamme bleue se désintègre. Sophie s'assoit devant la tombe de son grand-père et invite son ange gardien à la rejoindre. Elle le regarde quelques instants, le temps de raffermir sa résolution, puis elle se lance :

— Je dois parler à Thomas. Je vais avoir besoin de l'aide de la Confrérie.

Le jeune homme sursaute, comme si elle avait cherché à le mordre, puis secoue la tête. Sophie revient à la charge.

— C'est important ! C'est au sujet du journal de mon grand-père.

Cette fois, elle le voit ouvrir grand les yeux, ce qui lui donne la confiance de poursuivre.

— Je sais que les créatures du folklore existent. Je sais aussi que c'est votre rôle de les observer et de les étudier. Mais des événements se sont produits cet automne, et mon grand-père semblait savoir quelque chose qu'il n'a pas dit à Thomas. J'ai besoin de vous autant que vous de moi.

Le jeune homme pousse un profond soupir avant de prendre la parole.

— Je suis désolé, Sophie, mais ce n'est pas aussi facile que ça. Tu ne peux pas voir Thomas, ni même approcher la Confrérie rien qu'en le demandant. C'est déjà problématique que tu connaisses notre existence. S'il fallait que tu voies ou entendes quelque chose que tu n'es pas prête à assimiler, ça pourrait avoir des conséquences terribles.

Sophie laisse échapper un rire sans joie.

— Je te ferai remarquer que je n'étais absolument pas préparée à voir mon grand-père apparaître dans un feu follet !

Avant que son interlocuteur puisse répondre, elle regarde sa montre, qui indique 16 h 30. Elle se lève brusquement avant de se diriger vers l'entrée du cimetière. Le jeune homme se lève maladroitement et doit courir pour la rattraper.

— Écoute, ne fais rien que tu pourrais regretter. De mon côté, je vais voir si je peux te mettre en contact avec Thomas. Mais je ne peux rien te promettre, tu comprends ?

— D'accord, ça me convient... pour l'instant. Et pendant qu'on y est, je pourrais savoir ton prénom ? C'est un peu insultant de ne pas savoir à qui je m'adresse, surtout en sachant que tu me suis depuis déjà un bon bout de temps.

Il baisse la tête en rougissant et marmonne :

— Je m'appelle Pierre.

— Enchantée, Pierre. Moi, c'est Sophie. Mais tu le savais déjà, non ?

Elle se dirige brusquement vers la grille, mais avant de pouvoir la franchir, elle sent une main qui retient son bras. Agacée, elle se retourne et voit Pierre qui lui sourit.

— Tu passeras le bonjour à ton oncle de ma part !

Puis, sans se retourner, il s'élance hors du cimetière au pas de course.

31

Sophie est trop surprise pour songer à le poursuivre. Ainsi, son oncle ferait partie de la Confrérie ? À quel titre ? Et depuis quand ? Elle est incapable de trouver une réponse à ces questions, mais elle a bien l'intention de tirer cela au clair lorsqu'elle sera de retour chez lui. Elle se dirige vers un téléphone public, de l'autre côté de la rue. Elle entre dans la cabine et, d'une main légèrement tremblante, compose le numéro de son oncle. Lorsque sa tante répond, Sophie s'efforce de prendre un ton neutre. Elle explique qu'elle a passé plus de temps que prévu sur la tombe de son grand-père. Celle-ci rassure l'adolescente et lui confirme qu'elle sera là dans une dizaine de minutes.

Après avoir raccroché, Sophie regarde en direction du cimetière. Pierre a disparu pendant sa conversation avec sa tante. Elle hausse les épaules et, en l'attendant, elle réfléchit à ce qu'elle a vu. Elle repense à ce que le guide de l'île d'Orléans avait dit à propos des feux follets. Il lui semble qu'il avait parlé d'âmes errantes. Les yeux agrandis par l'énormité de l'idée qui vient de lui traverser l'esprit, Sophie frémit. Elle a trouvé une nouvelle preuve de l'existence de la malédiction familiale. Elle est frappée par les conséquences de cette situation. L'âme de son grand-père serait donc retenue par le Diable ! Elle voudrait bien écarter cette hypothèse, mais avec tout ce qu'elle a découvert dans les derniers mois, cette idée n'est pas du tout farfelue. Sophie hoche la tête avec détermination. Maintenant qu'elle a une meilleure idée de ce qui se passe, elle va pouvoir établir un plan d'action.

Sophie éclate d'un rire sans joie. Reste à trouver la manière d'aider son grand-père. Elle se voit mal demander à l'agente de pastorale de l'école de la mettre en contact avec un prêtre qui pratique des exorcismes. Encore moins passer un appel aux *Ghostbusters*... Avant qu'elle puisse former une ébauche de plan, elle voit la grosse voiture de sa tante tourner sur le chemin de l'Église et s'arrêter.

Durant le court trajet, Sophie s'efforce d'avoir l'air normale. À l'idée que l'âme de son grand-père soit retenue par le Diable, elle bouillonne intérieurement d'une énergie contenue et d'un chagrin mêlé de colère.

Ses parents et son oncle arrivent enfin. Elle leur demande comment avancent le ménage et le tri. Elle leur propose également son aide, que sa mère s'empresse d'accepter, insistant sur le fait que Sophie est celle qui profite de la maison, conformément aux dernières volontés de son grand-père. Durant le souper, elle écoute distraitement les conversations. Puis, elle profite d'une pause dans les discussions politiques pour livrer le message qu'on lui a transmis :

— Oh, en passant, Pierre te fait dire bonjour !

Son oncle sursaute, comme s'il avait été piqué, puis se reprend et lui offre son plus beau sourire.

— C'est gentil de sa part ! Mais dis-moi, où l'as-tu croisé ? Je ne savais même pas qu'il était dans la région.

— Il était au cimetière. Il m'a dit qu'il était venu se recueillir sur la tombe de grand-papa. C'est un ami à toi ?

— Oui, on fait partie du même club de golf !

Sophie fixe son oncle, qui vient de lui mentir, puis elle regarde sa tante, qui semble mal à l'aise. Lorsque sa mère offre de débarrasser la table, sa tante se lève avec un enthousiasme forcé et propose une tournée de café pour tout le monde. Le reste de la soirée passe rapidement, mais Sophie ne peut s'empêcher de surveiller discrètement son oncle et sa tante. Lorsqu'elle constate qu'elle n'en tirera rien de plus, elle prétexte la fatigue de la journée pour aller dans sa chambre, alors que les adultes s'installent pour jouer aux cartes.

32

Le lendemain, elle accompagne ses parents à l'ancienne maison de son grand-père. Elle passe la journée à les aider à trier les vêtements, les ustensiles de cuisine et tous les autres objets qui ont fait partie de la vie de son grand-père à un moment ou à un autre. En ouvrant une boîte trouvée dans le garde-robe de la chambre d'amis, elle découvre de nombreuses photos. Elle s'installe sur le lit pour les regarder à son aise. Les plus vieilles sont des polaroïds jaunis et montrent son grand-père dans sa jeunesse, alors qu'il habitait encore à Wendake.

Sophie sourit en voyant ses longs cheveux noirs, retenus par une lanière de cuir. Elle fouille jusqu'à trouver des clichés plus récents, espérant en dénicher où elle pose en sa compagnie. L'un d'eux retient son attention. Elle y voit son grand-père en compagnie de plusieurs personnes, devant la maison de son oncle. Ce qui a attiré son regard, c'est le fait qu'elle reconnaît certaines d'entre elles. Il y a le prêtre qui semblait l'observer à la basilique, et la femme de Wendake, qui la suivait de loin. Par contre, Pierre n'est pas sur la photo. Malgré tout, elle est convaincue d'avoir sous les yeux la Confrérie dont Thomas serait le chef. Curieuse, elle tente de déterminer lequel des hommes qu'elle ne connaît pas pourrait être ce mystérieux responsable, mais elle n'y arrive pas.

En pigeant des photos dans la boîte, elle en trouve d'encore plus récentes, où la date est indiquée dans le coin supérieur droit. Elles ont été prises au printemps 2001, quelque temps après sa naissance. Elle en saisit une sur laquelle on la voit, toute petite, dans les bras de son père. Sophie serre le cliché entre ses doigts, de peur de l'échapper tant elle tremble. Elle y reconnaît également Pierre, plus jeune, ainsi que son grand-père, le prêtre et la femme de Wendake. Comment se fait-il que son propre père ait été en présence des membres de la Confrérie ? Était-il au courant de leurs activités ? Connaissait-il l'implication de son beau-père dans l'organisation ? Les questions se bousculent dans sa tête, mais elle ne peut détourner son regard de la photo où tout ce beau monde sourit à l'objectif.

Lorsqu'elle entend du bruit dans le couloir, elle s'empresse de ranger les photos pêle-mêle dans la boîte, qu'elle cache ensuite au fond du placard, dans un coin. Elle trouvera bien un moyen de la récupérer discrètement et de la rapporter à Québec. Quand sa mère passe la tête dans l'encadrement pour lui demander si elle s'en sort, Sophie s'efforce de lui sourire et de lui répondre par l'affirmative. Elle en profite pour l'informer au sujet du musée qui est fermé jusqu'au mois de mai.

Sa mère lui propose donc de revenir peu après, afin de récupérer les œuvres. Sa mère ajoute qu'elle pourra en profiter pour organiser une vente de garage, afin de vider la maison de ce qu'elles auront jugé inutile. Sophie acquiesce à la proposition de sa mère avec un enthousiasme de façade.

La journée terminée, Sophie et ses parents retournent à Québec. Sophie est parvenue à emporter la boîte de photos avec elle, en prétextant qu'elle contenait des souvenirs de son grand-père qu'elle souhaitait garder. Ses parents n'ont posé aucune question, à son grand soulagement. Durant le trajet du retour, Sophie se repasse les événements de la veille. Lorsqu'elle est fatiguée de tourner en rond, elle revient au problème autrement plus urgent de l'âme de son grand-père. Elle n'a pas le choix, elle doit se replonger dans son journal. C'est son meilleur moyen de trouver une manière de l'aider. Rassurée par cette ébauche de plan, elle s'endort, bercée par le bruit du moteur de la voiture.

Sophie se trouve sur les berges du fleuve Saint-Laurent. Elle est surprise de trouver un groupe de femmes nageant face à elle. Lorsqu'elles s'approchent et que de larges queues recouvertes d'écailles émergent à la surface, Sophie comprend que ce sont des sirènes. Elle n'a pas le temps de les observer davantage puisque, une fois arrivées près de l'endroit où elle se tient, les femmes-poissons s'immobilisent et se mettent à chanter. Sophie est conquise par la beauté de leurs voix et se sent envahie par une torpeur euphorique. Mais une voix masculine et discordante vient rompre le charme. Sophie comprend que c'est elle qui parle. Elle se trouve encore une fois dans le corps de l'inconnu qu'elle semble retrouver depuis quelques rêves. Celui-ci s'adresse aux sirènes et, contrairement aux autres fois, Sophie entend clairement ce qu'il dit.

— Chères amies, cela me désole de voir que vous avez abandonné vos habitudes de chasse ancestrales au profit d'un mode de vie plus... convenable.

Sophie perçoit pleinement le mépris qui est injecté dans le dernier mot. Elle voit les créatures marines reculer, comme si l'homme les avait giflées. Celui-ci lève ses mains aux ongles démesurément longs – confirmant l'hypothèse de Sophie quant à son identité – et reprend la parole.

— Loin de moi l'idée de vous offusquer. Au contraire, je suis venu vous voir parce que votre sort me tient à cœur. En fait, je veux vous permettre de retrouver vos habitudes alimentaires naturelles.

L'une des sirènes, à la chevelure blonde, tressée d'algues et de varech, se détache du groupe.

— Qui es-tu pour oser venir sur notre territoire nous parler ainsi ? N'es-tu pas conscient que nous pouvons t'ensorceler et te forcer à venir te baigner parmi nous ?

Elle sourit et dévoile deux rangées de dents effilées. À cette vue, Sophie est prise d'un violent frisson. Pourtant, son hôte ne paraît pas affecté par la menace.

— Très chère, je connais bien vos prouesses vocales, et je peux vous assurer que, même si je suis un grand amateur de musique, je ne cours aucun danger. Libre à vous de dépenser votre énergie pour rien. Mais à votre place, j'attendrais d'entendre ce que j'ai à vous proposer avant d'agir. Quant à savoir qui je suis, cela n'a aucune importance.

Des murmures proviennent du groupe derrière la sirène qui s'est adressée à l'inconnu. Les autres semblent désireuses d'entendre ce qu'il a à dire. Leur porte-parole affiche un air méfiant, mais lui fait tout de même signe de poursuivre.

— Comme je le disais, je vous propose de revenir à votre alimentation habituelle, comme vous l'avez fait durant les premiers siècles de votre existence.

Ses paroles sont accueillies par un concert de rires moqueurs. La sirène blonde secoue la tête avant de répondre.

— À la minute où nous recommencerons à envoûter des pêcheurs, la Confrérie se chargera de nous éliminer. Et je sais que tu en es parfaitement conscient, mais que tu ne lèverais pas le petit doigt pour nous aider.

Sophie sent l'homme hausser les épaules, comme s'il s'excusait.

— Tu as raison, je suis tout à fait au courant de cette déplorable situation. Et si je vous disais que vous n'avez rien à craindre des Chasseurs ? Qu'ils seront trop occupés pour s'intéresser à votre groupe ?

— Comment peux-tu en être sûr ?

— Là-dessus, je ne peux que te donner ma parole. Ce que je ne fais jamais à la légère, sois-en bien certaine. Après tout, qu'avez-vous à perdre, tes semblables et toi ? Vous menez une existence misérable, à vous nourrir de poisson, comme de vulgaires créatures de parc aquatique.

Les sirènes émettent un sifflement agressif qui écorche les oreilles de Sophie.

— Alors, qu'en dites-vous ?

— Et toi, qu'obtiendrais-tu en échange ? Tu ne nous aurais pas fait une telle offre sans être sûr d'en retirer un bénéfice important.

— J'admire ta perspicacité. Disons simplement que vous faites partie d'un plan plus grand, et que votre participation est essentielle pour ce que j'ai en tête. Mais ne t'en fais pas, il ne vous arrivera rien...

Cette fois, Sophie sent que l'homme leur ment, même si elle n'arrive pas à saisir ses motifs. Alors que la sirène blonde s'apprête à répondre, un coup de tonnerre claque au-dessus de la tête de Sophie et elle se réveille en sursaut. Elle tente de voir où la voiture se trouve, mais sa vue est obscurcie par la pluie qui tambourine contre les vitres. Sa mère conduit dans un silence concentré, uniquement brisé par les essuie-glaces qui fonctionnent à plein régime.

La jeune fille en profite pour mettre de l'ordre dans ses pensées. Son rêve est encore vif dans son esprit, et elle est consciente de son importance. Elle commence à comprendre la raison de l'agitation soudaine des créatures du folklore que son grand-père avait remarquée. C'est à cause de cet homme, dont elle ignore l'identité, qui semble s'efforcer de recruter des alliés. Qui est-il ? Et surtout, quel est son but ? Elle l'ignore, mais cette réponse pourrait être la clé de l'énigme.

33

Sophie est installée à son bureau, le journal de son grand-père ouvert devant elle. Malgré ses efforts et ses lectures, elle ne trouve rien de pertinent. Il y a bien quelques tentatives infructueuses dc la part de son grand-père pour tenter de trouver de l'information relative à la famille mohawk ou à leurs descendants. Viennent ensuite des spéculations sur la manière dont une telle malédiction peut être levée. Pour tenter de découvrir de nouveaux éléments, Sophie tourne les pages jusqu'à la fin du journal, où elle espère trouver des entrées plus récentes. Mais à sa grande surprise, lorsqu'elle atteint la fin du mois d'octobre, il ne reste que les bords irréguliers de feuilles qui ont été arrachées.

Sophie referme le journal en soupirant. Où peuvent bien être ces pages ? Puis, la réponse jaillit dans son csprit : sa mère doit les avoir trouvées en faisant le ménage chez son grand-père ! « J'espère qu'elle ne les a pas jetées en pensant que c'étaient des papiers inutiles ! » songe-t-elle avec angoisse. Pour s'en assurer, elle descend à l'atelier de sa mère, où celle-ci travaille à l'élaboration d'un nouveau projet, un triptyque sur la spiritualité autochtone.

— Maman ? Aurais-tu trouvé des feuilles chez grand-papa ?

— Pardon, ma chérie ? Quel genre de papiers ?

— Euh... ça ressemblerait à des pages de journal intime. Elles auraient été arrachées, donc le bord serait déchiré.

— Désolée, mais je ne vois pas de quoi tu parles. À part des factures et des reçus, il n'y a rien d'intéressant.

Déçue, Sophie remonte à sa chambre pour réfléchir. Par acquit de conscience, elle consulte les dernières entrées du journal, à la recherche d'un indice.

20 octobre 2016

J'ai l'étrange impression que quelqu'un est venu fouiller dans mes affaires. Des vêtements ont été déplacés dans mes tiroirs, comme si on y avait cherché quelque chose. Cette personne en avait-elle après mon journal ? Mais qui est-elle ? Et surtout, pourquoi ? Je vais devoir être plus prudent à l'avenir et surveiller mes arrières.

Sophie laisse échapper un hoquet de surprise. Son grand-père courait-il un danger ? Qui aurait pu fouiller dans ses affaires ? Elle poursuit sa lecture, fébrile.

25 octobre 2016

Quel idiot je fais, parfois ! Comment ai-je pu être aussi aveugle ? Bah, j'ai toujours été enclin à faire confiance facilement. Cette fois, ça a joué contre moi. Ce n'est pas seulement mon journal qui intéresse mon mystérieux visiteur, ce sont tous mes faits et gestes. Je n'ai aucune preuve à offrir à Thomas, que ce soit au sujet de l'identité de cette personne, ni même à propos des gestes que je lui reproche. Mais je sais très bien qu'un membre de la Confrérie m'observe et me suit à la trace.

Sophie se mordille la lèvre inférieure, captivée par sa lecture, qui lui donne l'impression de suivre une intrigue policière particulièrement enlevante. Elle tourne une page, et s'aperçoit qu'il s'agit de la dernière entrée avant le vide laissé par les feuillets manquants.

28 octobre 2016

L'affaire est beaucoup plus grave que je le croyais. J'ai peur de mourir avant d'avoir pu aviser la Confrérie de ce que j'ai découvert. Je sens que mes jours sont comptés. Pas question que mon mystérieux poursuivant trouve le fruit de mes recherches. Je vais confier la clé de l'énigme à une grande Dame et espérer pour le mieux. J'entends des pas qui s'approchent de ma chambre, mieux vaut me préparer au pire...

Sophie pousse un cri de frustration devant la fin abrupte du journal. Qu'est-ce que son grand-père a bien pu découvrir de si important ? Et comment pourra-t-elle retrouver les pages manquantes ? L'adolescente passe le reste de la soirée à tourner en rond dans sa chambre, pour tenter de dénouer les fils de cette histoire, sans succès.

34

Le lendemain après l'école, Sophie se rend à la bibliothèque Gabrielle-Roy pour tenter d'amasser un peu plus d'information au sujet du Diable et des malédictions autochtones. Elle souhaite aussi emprunter quelques-uns des livres que Gabriel, le guide huron, lui a suggérés le mois dernier. Elle a beau fouiller dans les bases de données et sur Internet, elle ne trouve rien de pertinent sur le genre de malédiction dont sa famille est victime. Dépitée, elle concentre ses efforts sur les légendes au sujet du Malin. Cette fois, elle a plus de chance. Il y a des dizaines, voire des centaines d'histoires qui mettent en scène Satan.

Sophie remarque rapidement certains thèmes plus communs qui reviennent souvent, d'un conte à l'autre : les cas de possession, les pactes, les marchés, Lucifer qui se fait utiliser pour construire une église, le Diable qui se déguise pour tromper une âme naïve, les métamorphoses en animaux. Le problème, c'est qu'il n'y a rien qui concerne le genre de malédiction qui l'intéresse. Et il y a trop de contes et de légendes pour qu'elle puisse tout lire. Elle décide donc de demander conseil à la bibliothécaire, qui est occupée à taper à l'ordinateur derrière son comptoir. La femme lève la tête quand Sophie arrive à sa hauteur.

— Bonjour, je peux vous aider ?

— Oui. En fait, je ne sais pas trop comment vous demander ça... Avez-vous des livres... sur le Diable ? Et sur... des malédictions à son sujet ?

La femme hausse un sourcil interrogateur. Sophie s'empresse d'ajouter :

— C'est pour un travail... dans mon cours de français !

Cette fois, la bibliothécaire sourit franchement.

— On dirait que le Diable est à la mode en ce moment !

— Pourquoi dites-vous ça ?

— Oh, c'est pas grand-chose. Il y a moins de trois jours, un beau jeune homme m'a fait la même demande que vous. Je trouvais la coïncidence amusante.

Sophie tente de garder son calme, même si elle a une idée de l'identité du mystérieux lecteur.

— Vous vous rappelez les titres qu'il a choisis ? Ça pourrait peut-être correspondre à ce dont j'ai besoin.

La bibliothécaire retire ses lunettes et semble réfléchir tout en les nettoyant. En les remettant sur son nez, elle se tourne vers l'ordinateur et commence à taper.

— Comme il m'avait demandé une recherche assez précise, je pense être capable de retrouver les livres qu'il a pris.

Elle continue de taper et, après quelques minutes, elle imprime une liste de titres avec la cote correspondante.

— Voilà, ce sont ces ouvrages que le jeune homme a choisis. J'espère que vous y trouverez votre compte, vous aussi !

— Oh, je pense que ce seront des lectures très instructives !

Sophie s'empresse de remercier la bibliothécaire, puis elle se dirige vers la section des documentaires, pour trouver les livres de sa liste. Une fois ses recherches terminées, elle s'empresse de passer au comptoir de prêt, avant de rentrer chez elle avec son sac alourdi par les nombreux volumes. Sophie aurait bien voulu s'enfermer dans sa chambre pour consulter les livres que le mystérieux jeune homme a consultés avant elle. Elle est convaincue que c'est Pierre, et elle est curieuse de savoir ce qu'il y cherchait. Malheureusement, en arrivant à la maison, sa mère lui indique que le souper est prêt.

35

Une fois le repas terminé et la cuisine rangée, Sophie est de retour à son bureau. Elle décide de se concentrer sur les ouvrages qui intéressaient tant Pierre à la bibliothèque. Sophie parcourt rapidement chacun des livres, à la recherche d'un indice. Elle en apprend un peu plus sur le Diable et sur sa symbolique dans le folklore québécois : il adore faire des pactes à son avantage, il se présente souvent sous la forme d'un cheval noir à l'énergie inépuisable, et on ne le défie pas à la légère. Pourtant, l'adolescente ne trouve rien qui justifie l'intérêt de Pierre pour ces ouvrages en particulier. Alors qu'elle prend le dernier livre de la pile, une enveloppe s'échappe d'entre ses pages et atterrit sur son bureau. Surprise, Sophie la ramasse et la retourne entre ses doigts. Au recto, son prénom est écrit au stylo bleu, avec une écriture un peu brusque. L'enveloppe n'est pas scellée. Elle l'ouvre pour étudier son contenu. Il n'y a qu'une photo, mais en voyant le sujet, Sophie laisse échapper une exclamation de surprise. On y voit les chutes Montmorency, mais c'est ce qui se trouve au centre des trombes d'eau qui la fascine. Clairement visible au milieu des embruns, une forme féminine vêtue de blanc semble fixer l'objectif.

Sophie retourne le cliché. Les quelques mots qui y sont écrits lui glacent le sang. Son prénom est écrit dans le haut de la photo et, en lettres capitales, un message est inscrit : « ELLE N'EST PAS CELLE QUE L'ON CROIT ! » La jeune fille n'arrive pas à comprendre la raison de cet avertissement. Que ce soit le journal de son grand-père, les propos de la guide des chutes ou encore ses propres recherches, tout laisse entendre que la Dame blanche est une entité pacifique, voire bénéfique. Pourquoi Sophie devrait-elle s'en méfier ? Et qui est l'auteur de ce message ? Serait-ce Pierre ? Ce serait l'hypothèse la plus logique. Après tout, il est le dernier à avoir emprunté ce livre avant elle et son prénom est inscrit sur la photo. Pour se changer les idées, elle se lance dans des recherches Internet à propos de malédictions impliquant le Diable. Il y a tellement de résultats qu'elle doit y aller à tâtons. Chaque fois, il s'agit de sites ésotériques ou de blogues personnels où se croisent témoignages peu crédibles et trucs maison servant à invoquer Satan ou l'un de ses subalternes. Il n'y a absolument rien de pertinent ou d'utilisable dans ce qu'elle trouve en ligne. Après une heure à chercher comment formuler des demandes précises dans divers moteurs de recherche, elle abandonne. De toute manière, ses paupières se ferment d'elles-mêmes et elle ressent l'appel de son lit. C'est donc avec la tête qui bourdonne qu'elle se couche, convaincue qu'elle ne parviendra pas à s'endormir. Quelques secondes plus tard, elle ronfle doucement.

Le lendemain, en revenant de l'école, elle monte dans sa chambre, après s'être assurée que sa mère est occupée dans son atelier. Puis elle sort de sous son lit la boîte rapportée de chez son grand-père et elle tente de faire un tri. En regardant au verso des clichés, elle s'aperçoit que la date est toujours indiquée, dans une écriture précise et soignée. Elle rassemble donc les photos par année, puis elle intègre chaque petite pile dans un paquet plus grand correspondant à une décennie. De cette manière, elle pourra les consulter pour découvrir de nouveaux indices sur les liens de son grand-père avec Thomas et la Confrérie. Elle sera peut-être même en mesure de tirer certaines conclusions à l'aide des dates mentionnées à l'arrière des clichés. Sur le dessus de la pile contenant les photos les plus récentes, elle ajoute celle de la Dame blanche avec l'avertissement de Pierre. Ce sera un pense-bête pour ne pas oublier cette partie de son enquête. Comme elle souhaite également se concentrer un peu plus sur son travail de fin d'année, elle répartit son classement sur plusieurs jours. Sophie a amassé beaucoup de matériel, et elle songe à son plan et aux créatures qu'elle souhaite étudier plus en profondeur. Elle se demande si elle ne devrait pas faire une place plus grande à celles représentées dans le folklore autochtone et décide de créer une section spéciale de son document pour les mettre de l'avant. Ces réflexions ramènent à l'avant-plan ses questions à propos des pages manquantes du journal de son grand-père. Où peuvent-elles bien être ?

Elle sort les livres recommandés par Gabriel, le guide de Wendake, et elle se met à lire au sujet de ses ancêtres. Elle est fascinée par ce qu'elle découvre au sujet des Hurons. À mesure qu'elle progresse dans sa lecture, la jeune fille regrette de plus en plus de ne pas s'être souciée de cette partie de son patrimoine familial avant le voyage de la relâche. Son grand-père a souvent insisté pour lui transmettre les légendes relatives à ses ancêtres autochtones, mais sa petite-fille a toujours préféré les contes de bûcherons, qui la fascinaient. Elle ne délaisse ses livres que lorsque sa mère l'appelle pour le souper.

Héritage culturel des Hurons-Wendat

Jean Sioui

Éditions du Calumet

254 pages

Le terme « Huron », utilisé pour désigner la nation des Wendats, vient des colons français. Il signifie « tête hérissée » en ancien français. C'est la coiffure des hommes de ce peuple qui leur vaut ce sobriquet.

L'appartenance à un clan est matrilinéaire, ce qui veut dire qu'un enfant ne pourra pas se marier avec un membre du clan de sa mère, mais il pourra épouser un membre du clan de son père.

Aujourd'hui, on compte environ 3000 Wendats, qui vivent près de Québec. De ce nombre, 1300 habitent à Wendake. La majorité d'entre eux sont catholiques et parlent le français.

Comme ils ont perdu leur langue et leur culture d'origine au fil des mariages avec des Européens ou des membres d'autres nations autochtones, la préservation de leur héritage culturel ancestral au village traditionnel de Wendake est extrêmement importante.

36

Au bout de quelques semaines, Sophie n'est pas vraiment plus avancée. La plupart des photos concernant la Confrérie ont été prises devant la maison ou dans la cour de son oncle et de sa tante. Pourtant, ces derniers n'apparaissent jamais sur les clichés. Sophie suppose donc que l'un ou l'autre est le photographe. Mais quel lien entretiennent-ils avec la Confrérie ? Elle a trouvé d'autres photos où son père apparaît en compagnie de son grand-père. Chaque fois, elle est frappée par leur apparente complicité. Il lui semble évident qu'ils ont souvent l'occasion d'être ensemble. Était-ce pour les affaires de la Confrérie ? Sophie n'a pas trouvé le courage d'interroger son père à ce sujet. Elle craint qu'il lui mente pour la protéger. Malgré ses recherches plus poussées au sujet de la Dame blanche, elle n'est toujours pas en mesure de comprendre l'avertissement de Pierre.

Elle a donc décidé de mettre cette énigme de côté pour l'instant.

Puis, un matin, elle consulte ses courriels et découvre avec fébrilité qu'elle a reçu une réponse à sa demande d'admission au cégep. Elle se connecte, consulte le message qui s'y trouve et laisse éclater sa joie. Elle entend les pas de sa mère dans l'escalier. Quand celle-ci passe la tête par la porte, elle lui lance :

— J'ai été acceptée à Sainte-Foy !

Sa mère entre dans sa chambre et la prend dans ses bras.

— Je suis tellement fière de toi, ma chérie !

En songeant à ses recherches des dernières semaines, Sophie ajoute :

— Et je vais voir si le programme d'histoire me permet d'étudier les peuples autochtones, c'est quelque chose qui m'intéresse beaucoup.

Lorsqu'elle voit le sourire de sa mère, Sophie sait qu'elle prend la bonne décision. Cette prise de conscience s'ajoute à sa bonne humeur.

— J'ai hâte de le dire à papa ! Hey ! Ça veut dire que Sarah et Émilie aussi ont eu leur réponse ! Oh, j'espère qu'elles ont été acceptées ! On serait toutes les trois à Sainte-Foy, ce serait trop fou !

— Disons que si c'est le cas, je plains un peu vos professeurs !

— Maman !

— Quoi ? Je suis sûre que d'ici là vous aurez le temps de vous assagir, et que vous serez des cégépiennes matures et raisonnables.

Sophie ne peut s'empêcher de pouffer de rire, rapidement imitée par sa mère. Une fois calmée, celle-ci reprend, sérieuse :

— Je veux que tu saches que je suis fière de toi. Peu importent tes choix, je vais t'appuyer dans tes démarches. Et ton père aussi. N'en doute jamais.

— Bon, c'est pas tout, ça, mais il faut que je me prépare, si je veux avoir le temps de parler à Émilie et Sarah avant le début des cours. Tu peux me faire à déjeuner ? Oh ! Et j'aurais besoin d'un lunch, aussi.

— Moi qui croyais que ton admission au cégep mettait fin à ma servitude parentale, je vois que je me suis trompée.

Absolument ! Tu es mon esclave jusqu'à ce que je parte en appartement ! Mouhahahahaha !

Sa mère roule des yeux avant de quitter sa chambre. Quant à Sophie, elle plonge dans sa garde-robe pour trouver quelque chose de confortable à porter, puis elle descend à la cuisine quelques minutes plus tard.

Une fois le déjeuner terminé, sa mère lui tend une boîte à lunch.

— Tiens, ton dîner est prêt. Tu veux que j'aille te reconduire, tant qu'à être à ton service ?

— Non, c'est gentil, il fait beau, je vais marcher. On se voit ce soir !

Elle embrasse sa mère, attrape une veste et sort en fredonnant un air à la mode. Arrivée à l'école, elle se dirige vers le casier d'Émilie et n'a que quelques minutes à attendre avant de voir son amie marcher dans le couloir. Incapable d'attendre plus longtemps, elle se précipite à sa rencontre en levant les bras dans les airs.

— J'ai été acceptée à Sainte-Foy en histoire et civilisation ! Et toi ? As-tu eu une réponse ? Es-tu acceptée ? Dans quel programme ?

— Bonjour, Sophie ! Moi aussi, je suis contente de te voir. Oui, ça va bien, merci de me le demander. Et toi, comment vas-tu ?

— Bon, d'accord, d'accord ! Bonjour, Émilie. Comment vas-tu, ce matin ? Par le plus grand des hasards, aurais-tu reçu une réponse à ta demande d'admission ? Aurais-tu l'extrême amabilité de me dire quelle en était la teneur ? Je meurs d'envie de t'entendre me donner tous les détails. Ne me fais plus languir, je t'en supplie !

— Ah, c'est beaucoup mieux ! Mais continue comme ça, avec tes grands airs et tes mots de quatre syllabes, et tu vas devenir la nouvelle chouchoute de madame Thouin !

— Non merci, je te laisse la position ! Alors, dis-moi tout ! As-tu été acceptée ou pas ?

Émilie fait semblant de réfléchir, jusqu'à ce que Sarah arrive derrière elle, souriante. Sophie devine la raison de cet air enjoué.

— Tu as eu ta réponse ?

Rougissante, Sarah hoche la tête sans répondre. Ne voulant pas être en reste, Émilie intervient.

— Ce n'est pas que tu n'es pas importante, Sarah, mais Sophie attendait une confirmation de ma part, et je l'ai assez fait languir.

À ces mots, Sophie envoie un coup de coude à son amie, et pointe Sarah du doigt.

— Trop tard, tu as perdu ton tour ! Alors, Sarah, tu as choisi quel programme ?

La jeune fille rougit de plus belle avant de répondre d'une petite voix :

— Sciences de la nature, à Sainte-Foy.

Sophie la serre dans ses bras en souriant, puis se tourne vers Émilie.

— Bon, c'est à ton tour, maintenant. Aurais-tu une bonne nouvelle à nous annoncer, par hasard ?

— Je ne savais pas comment vous le dire, mais oui, j'ai reçu une réponse. J'ai été acceptée en arts et lettres, dans le profil littérature et création. À Sainte-Foy, moi aussi.

37

Après quelques minutes de réjouissances et de félicitations mutuelles, les trois amies se séparent pour se rendre à leurs cours respectifs. Sophie veut profiter de son cours d'histoire pour poser quelques questions à son professeur au sujet de son cheminement au cégep. Mais lorsque la cloche annonçant le début des cours retentit, l'interphone se fait entendre.

— Bonjour, ici monsieur Rivard, votre directeur. Je demanderais à tous les élèves de cinquième secondaire de bien vouloir se rendre à l'auditorium. Merci de votre attention.

Intriguée, Sophie ne peut que suivre les autres élèves, alors que monsieur Lefebvre, son professeur d'histoire, les mène à l'auditorium. En arrivant, elle remarque tout de suite Émilie et Sarah, assises côte à côte dans l'une des rangées centrales. Elle s'empresse d'aller les rejoindre, afin d'essayer d'en savoir un peu plus sur cette convocation inhabituelle. Elle doit hausser le ton pour se faire entendre par-dessus le tumulte grandissant des étudiants de cinquième secondaire, qui parlent tous en même temps.

— Vous savez pourquoi monsieur Rivard veut nous voir ?

Sarah et Émilie secouent la tête.

Alors que Sophie s'apprête à proposer sa propre hypothèse, le directeur fait son entrée sur la scène et se dirige d'un bon pas au centre du podium. Il vérifie que le micro est bien allumé, et recule la tête en grimaçant lorsqu'un bruit aigu sort des haut-parleurs et se répercute entre les murs de l'auditorium. Il s'approche lentement du micro, comme s'il craignait que celui-ci l'attaque, et commence à parler, sans attendre que les étudiants se taisent.

— Bonjour à tous. J'ai le regret de vous annoncer que deux élèves de cette école, Jonathan Boudreault et Héloïse Laberge, sont décédés la fin de semaine dernière.

À ces mots, un silence complet tombe sur les élèves rassemblés dans l'auditorium. On entend la respiration laborieuse du directeur, qui ne s'est pas éloigné du micro :

— Je ne peux pas vous en dire beaucoup plus pour l'instant, mais la police pense qu'il s'agit d'un pacte de suicide. Ils auraient sauté du haut des chutes Montmorency. Comme ces deux étudiants étaient en cinquième secondaire, je sais que plusieurs d'entre vous les connaissaient. Je veux donc que vous sachiez qu'un service d'aide psychologique sera mis à votre disposition. Vous n'aurez qu'à vous présenter à l'infirmerie, avant ou après vos cours. Je suis désolé de vous annoncer une si triste nouvelle. Les cours sont suspendus pour la journée.

Puis, sans un regard, le directeur quitte le podium pour se diriger vers les coulisses, au milieu du brouhaha généralisé qui a repris dès la fin de son annonce. Sophie est sous le choc, même si elle ne connaissait pas vraiment les deux élèves. Elle se tourne vers ses amies pour discuter de ces événements. Sarah, en larmes, regarde fixement la scène vide. Émilie tente, tant bien que mal, de la consoler et de l'amener à parler. Sophie se joint à elle d'une voix douce.

— Tu les connaissais, Sarah ?

La jeune fille ne semble même pas être consciente de la présence de ses amies à ses côtés. Au moment où Sophie s'apprête à poser de nouveau la question, Sarah répond dans un filet de voix.

— C'étaient des amis. Ils faisaient partie de mon groupe de Donjons et Dragons. On a joué une partie ensemble, vendredi soir. Ils étaient… ils avaient l'air si…

Elle éclate en sanglots, sans terminer sa phrase. Sophie est mortifiée d'avoir éprouvé un tel soulagement à l'idée qu'elle ne les connaissait pas. Pour tenter de se rattraper, elle serre Sarah dans ses bras et lui parle doucement à l'oreille.

— Je suis désolée, Sarah. Veux-tu qu'on t'accompagne au soutien psychologique dont monsieur Rivard a parlé ? On restera à l'extérieur de l'infirmerie, mais on va t'attendre et on va rentrer ensemble toutes les trois.

Sarah hoche la tête et se lève en tremblant. Sophie fait un signe à Émilie, et toutes deux encadrent leur amie en se dirigeant vers les locaux de l'infirmière, suivies par de petits groupes d'élèves qui discutent entre eux, alors que d'autres pleurent doucement.

Une demi-heure plus tard, Sarah sort de l'infirmerie, les yeux rougis, avec un dépliant et une carte de visite dans les mains. En voyant son amie, Sophie se lève, la serre de nouveau dans ses bras et lui annonce, en souriant :

— On passe la journée ensemble, toutes les trois. Pas question de te laisser seule aujourd'hui !

Et elle entraîne Sarah vers la sortie, suivie de près par Émilie.

38

Les jours qui suivent sont tendus et chargés d'émotions. Des rumeurs ont commencé à circuler dans l'école au sujet des deux suicides. Certains disent qu'ils seraient liés aux événements survenus dans la basilique Sainte-Anne-de-Beaupré, en mars dernier. Le message ensanglanté trouve une nouvelle signification à la lumière de la mort de deux élèves de cinquième secondaire. Au départ, ces bruits de couloir ne se propagent qu'à l'intérieur du groupe ayant participé au voyage durant la semaine de relâche. Mais alors que les jours passent, la rumeur enfle et prend de nouvelles proportions. On parle maintenant d'un pacte de suicide doublé de pratiques occultes. Des insinuations sont faites à propos des deux jeunes qui sont morts, mais aussi de leurs amis et de leur entourage.

Des conflits éclatent entre différents groupes d'élèves, selon qu'ils connaissaient ou non les deux morts et prêtent foi ou pas aux rumeurs. Lorsque de mauvaises blagues et des messages menaçants sont faits à l'égard de certains élèves qui constituent des cibles faciles, la direction est forcée d'intervenir afin de contenir les débordements.

Dans ce climat de plus en plus nocif, Sophie a fort à faire pour soutenir Sarah, qui est particulièrement affectée par les deux décès, mais aussi par l'atmosphère négative qui règne à l'école. Puis, au bout de quelques semaines, le phénomène perd sa force d'attraction, comme tout potin dans l'écosystème d'une école secondaire. Sophie commence à croire que le pire est passé en ce qui concerne Sarah. Avec la fin des rumeurs, l'atmosphère de l'école est plus légère, et son amie peut faire son deuil en paix.

C'est donc avec un certain soulagement que Sophie accueille la nouvelle que sa mère lui annonce :

— Ma chérie, c'est en fin de semaine qu'on organise la vente de garage avec les affaires de ton grand-père. Je sais que tu voulais en profiter pour aller récupérer ta collection de sculptures, mais penses-tu pouvoir nous donner un coup de main ?

— Pas de problème, maman. De toute manière, je ne pense pas passer toute la fin de semaine au musée.

— Merci, ma grande. J'apprécie ton aide. Oh ! et ton père va venir nous rejoindre samedi matin, mais il va devoir repartir le soir même.

— Génial ! Merci, maman, c'est vraiment une bonne nouvelle. C'est vrai que ça fait longtemps qu'on ne l'a pas vu. Je pensais que vous alliez vous remettre ensemble, tous les deux. Ça n'a pas marché ?

Sa mère la regarde avec de grands yeux, avant d'éclater de rire devant son air déconfit.

— Sophie Picard ! Qu'es-tu allée t'imaginer encore ?

— Quoi ? Vous avez l'air de beaucoup mieux vous entendre depuis la mort de grand-papa, et papa a passé beaucoup de temps avec nous depuis l'automne. J'ai vu comment vous n'avez pas arrêté de vous sourire et de rire des blagues de l'autre.

— Ma pauvre chérie, je suis désolée si nous t'avons donné de faux espoirs ! C'est vrai que notre relation s'est améliorée, mais pas au point de discuter d'un retour possible à la routine d'avant. Je sais que tu voudrais qu'on revienne ensemble, mais ce n'est tout simplement pas possible. Si c'était seulement ses absences inexpliquées qui revenaient chaque mois, j'aurais pu vivre avec mes doutes. Mais je suis revenue à la maison trop souvent pour découvrir le salon ou la salle à manger complètement dévastée, comme si on s'y était battu. Je ne pouvais pas supporter le fait que ton père puisse transférer cette violence contre moi.

Sophie hésite entre la colère et la peine, mais avant qu'elle puisse interroger sa mère, celle-ci poursuit :

— Par contre, ça ne me dérange pas que ton père vienne nous voir plus souvent, et que tu veuilles passer plus de temps avec lui. On a convenu de lui laisser plus de place dans ta vie, si c'est ce que tu veux.

Cette fois, Sophie ne peut que hocher la tête en silence.

— Tu pourras en parler avec lui, demain, entre deux curieux…

— Maman !

— Ne viens pas me dire que tu ne t'attends pas à ce que des gens viennent simplement pour mettre leur nez dans les affaires de ton grand-père ! Tu sais à quel point Saint-Jean-Port-Joli est un petit village, et combien ton grand-père était apprécié.

— Peut-être, mais ce n'est quand même pas une raison pour dire des choses comme ça !

Plutôt que de répondre, sa mère lui tire la langue, ce qui laisse Sophie bouche bée.

— Ferme ta bouche et prépare ta valise, on part après le souper, question d'éviter les bouchons de circulation. Ta tante et ton oncle nous attendent, et je ne veux pas avoir droit à un sermon de ma belle-sœur au sujet de l'heure à laquelle on arrive.

Puis, sans laisser le temps à Sophie de placer un mot, sa mère sort de sa chambre. Elle l'entend descendre l'escalier et commencer à préparer le repas. Après quelques instants de réflexion, Sophie décide d'ajouter le journal de son grand-père à ses bagages.

Comme sa mère l'avait prévu, elles arrivent à Saint-Jean-Port-Joli en soirée. Sophie voit avec plaisir sa tante et son oncle sortir à leur rencontre, alors que la voiture s'immobilise dans l'allée de gravier. Après les avoir serrés dans ses bras, elle se tourne vers son oncle :

— Comment va ton partenaire de golf ?

— Hein ? De qui tu parles ?

— Ben, de ton ami que j'ai vu au cimetière, la dernière fois.

Son oncle la regarde, l'air de ne pas savoir à qui elle fait référence, puis son visage s'éclaire, comme s'il venait de se souvenir de quelque chose.

— Ah oui, lui ! Oh, je n'ai pas eu de nouvelles depuis ta visite précédente.

Sophie est convaincue que son oncle lui a menti pour une raison qu'elle ignore. Mais avant qu'elle puisse pousser sa réflexion plus loin, sa tante les invite à entrer en leur indiquant qu'elle avait cuisiné, au cas où elles auraient faim en arrivant. À ces mots, Sophie regarde sa mère éclater de rire. Elle sait très bien que lorsque sa tante fait « un peu » de cuisine, il y en a assez pour une armée... et cette fois ne fait pas exception. Il y a du pudding chômeur, du gâteau au chocolat, des biscuits aux brisures de chocolat, du sucre à la crème et des beignes. Tout le monde s'attable devant la montagne de produits maison. Les conversations se font et se défont jusqu'à tard dans la nuit. Lorsque Sophie sent ses paupières se fermer toutes seules, elle s'excuse et se rend d'un pas traînant à la chambre d'amis. Elle prend à peine le temps de se mettre en pyjama, puis s'écroule sur le lit et s'endort d'un sommeil agité.

39

Lorsqu'elle ouvre les yeux, elle est de retour devant la maison de son grand-père. Surprise, Sophie tente de regarder autour d'elle, mais elle ne bouge pas d'un iota. Elle comprend alors qu'elle est encore une fois dans la tête du mystérieux personnage avec qui elle semble avoir une connexion particulière. L'adolescente décide de patienter, histoire de voir la suite des choses. Elle n'a pas à attendre longtemps avant qu'une silhouette encapuchonnée sorte de la maison. Sophie croit d'abord que la figure porte une robe de moine, mais en se rapprochant, la jeune fille constate qu'il s'agit d'un chandail dont la capuche relevée cache les traits du visage.

L'adolescente attend que la silhouette parle pour tenter de deviner son identité. Mais c'est de sa propre bouche qu'émerge la voix rocailleuse et pleine de mépris qu'elle reconnaît comme celle de son hôte.

— Alors, as-tu enfin pris ta décision ?

Son interlocuteur hoche la tête en silence. Sophie ne sait pas si c'est pour conserver un anonymat de façade ou par peur que la silhouette ne parle pas. Avant qu'elle puisse poursuivre sa réflexion, elle s'entend poser une autre question.

— J'imagine que tu as choisi ton camp ? Tu sais ce qui t'attend si tu me déçois ?

Cette fois, le mouvement est plus vigoureux. La jeune fille est convaincue que la personne qui se cache sous cette capuche est terrorisée par celui qui lui fait face. Les paroles qui émergent de sa bouche la glacent d'effroi.

— Parfait, je n'en attendais pas moins de toi. Maintenant, voici ce que tu vas faire. Je veux que tu me tiennes au courant des moindres mouvements de la Confrérie et que tu m'avertisses de toute action qui sera entreprise contre des créatures fantastiques. Et surveille particulièrement Laurier Picard. J'ai l'impression qu'il en sait un peu trop à mon sujet et à propos de mes plans.

Cette fois, la figure masquée incline carrément le buste pour montrer son assentiment. Sophie sent ses lèvres s'étirer en un sourire trop large pour une bouche humaine.

— Sers-moi bien, et ta récompense dépassera tes rêves les plus fous. Échoue, et je m'amuserai à détruire ton âme.

Puis, d'un geste dédaigneux, elle congédie son mystérieux interlocuteur qui s'empresse de retourner vers la maison…

Sophie est réveillée par une odeur de friture et par le bruit de couverts qu'on déplace. Elle cligne des yeux et consulte l'horloge accrochée face à son lit : il n'est que huit heures. L'adolescente secoue la tête, découragée. En plus de tout le reste, elle doit maintenant se méfier d'un traître au sein de la Confrérie. Et celui-ci travaille pour le Diable ! Est-ce dans sa tête qu'elle se retrouve lors de ses rêves ? Que doit-elle faire de ces informations ? À qui en parler ? Elle retient ses larmes, même si l'ampleur de la tâche qui l'attend la pétrifie.

40

Quelques minutes plus tard, Sophie se lève et passe à la salle de bain pour se rafraîchir. Puis l'adolescente se dirige vers la cuisine d'un pas pesant et se laisse tomber sur une chaise. Son oncle s'affaire à la cuisinière, où il est occupé à faire griller ce qui ressemble à l'équivalent d'un cochon entier sous forme de tranches de bacon et à brasser une énorme casserole d'œufs brouillés. Sa mère est déjà à table et sirote un verre de jus d'orange.

Heureusement pour Sophie, le repas se déroule dans un silence relatif. Elle constate avec humour que c'est de ce côté de la famille qu'elle tient son attitude matinale peu bavarde. Une fois la vaisselle faite, elle discute avec sa mère des plans pour la journée :

— À partir de quelle heure voulais-tu commencer la vente ?

— Ton père devrait arriver d'ici quelques minutes. Après ça, on pourra filer chez grand-papa pour installer les tables et sortir les premiers objets et quelques meubles. Je pense qu'on va pouvoir débuter vers 10 h 30, si tout va bien.

— Parfait, je vais rester avec vous pour l'avant-midi, comme je ne sais pas à quelle heure ouvre le musée. J'irai voir en début d'après-midi et j'y passerai une heure ou deux au maximum. Je vais pouvoir t'aider aussi toute la journée de demain.

— Merci beaucoup, ma chérie, ton aide est appréciée.

Alors que Sophie est dans la chambre d'amis pour sortir quelques vêtements de sa valise, elle entend une voiture s'arrêter dans l'entrée. Quelques instants plus tard, la voix de son père retentit. Elle sort en courant pour aller le serrer dans ses bras.

Sophie et ses parents se rendent directement à la maison de son grand-père. Son oncle et sa tante prendront le relais après le dîner, pour lui permettre d'aller au musée. À trois, l'installation des tables et des objets à vendre se fait rapidement. Il y a des vêtements, des livres, de la vaisselle, quelques sculptures moins réussies et d'autres babioles qui semblent toujours s'accumuler dans la maison des gens qui mènent une vie bien remplie. La mère de Sophie la charge ensuite de préparer de la limonade.

Comme sa mère l'avait prévu, les premiers curieux prennent de longues minutes à passer en revue le contenu hétéroclite réparti sur deux longues tables, commentant occasionnellement un objet ou un autre. Heureusement, l'avant-midi file rapidement, et plusieurs personnes viennent pour acheter. Sophie doit aider son père à regarnir les tables à quelques reprises, ayant même à sortir de nouveaux meubles lorsque la table et les chaises de cuisine trouvent preneur.

À l'heure du dîner, l'oncle et la tante de Sophie arrivent avec un énorme panier à pique-nique, ainsi qu'une glacière pleine de nourriture. Ils s'installent tous sur une nappe à carreaux à proximité des tables, et mangent tout en discutant joyeusement. Lorsqu'elle a terminé son repas, Sophie avise sa mère qu'elle s'en va au musée. Son père se tourne vers elle.

— Veux-tu que j'aille te reconduire ? Ça va aller plus vite. Je peux aussi te prêter mon cellulaire pour que tu puisses nous appeler quand tu auras terminé là-bas. Le numéro de ton oncle et de ta tante est dans les contacts. Si jamais ça ne répond pas, il y a aussi celui de ta mère. Appelle-nous quand tu auras terminé, je viendrai te chercher.

— Merci, papa, c'est gentil de ta part.

Une fois arrivée, Sophie sort de la voiture et remercie son père, puis se dirige vers le musée. Elle est curieuse de pouvoir enfin admirer l'autre partie de son héritage. En poussant la porte de l'édifice, elle entend une clochette tinter. Un homme corpulent et de grande taille sort de derrière un rideau placé sur le mur qui fait face à l'entrée. Il se dirige vers elle en souriant :

— Bonjour, Mademoiselle, je suis Denis Quevillon, le conservateur du musée. Désirez-vous visiter notre exposition ? Elle vient tout juste de changer. Je suis sûr qu'elle vous plaira.

Sophie est déroutée par les manières du conservateur, qui lui serre fermement la main. Il la traite comme si elle était une adulte habituée des musées, et pas comme une adolescente. Elle secoue la tête en souriant.

— En fait, je venais surtout pour récupérer une collection privée qui vous avait été prêtée. Je suis Sophie Picard, la petite-fille de Laurier. Mais à bien y penser, j'aimerais aussi visiter cette exposition, si vous voulez bien garder les sculptures de mon grand-père un peu plus longtemps.

Le conservateur pousse une exclamation de surprise en tapant dans ses mains :

— Appelez-moi Denis, je vous en prie. Je sais qui vous êtes, ou plutôt, je connaissais bien votre grand-père. Son décès représente une grande perte pour la région. Malgré tout, j'aurai le plaisir de vous servir de guide pour votre visite. Préférez-vous voir la collection d'abord ?

— Oh, elle peut attendre encore un peu ! Commençons par la visite, ça nous laissera plus de temps pour parler après.

Le conservateur tend son bras à Sophie. Pendant près d'une heure, il lui offre une visite personnalisée du musée et de sa nouvelle exposition, une série de gravures sur bois représentant des scènes maritimes et de pêche.

L'une d'elles attire particulièrement l'attention de la jeune fille. On y voit un voilier qui se dirige vers un rivage, alors qu'au premier plan des femmes semblent se baigner en faisant des signes au bateau. Sophie retient une exclamation de surprise : elle reconnaît dans les figures féminines les sirènes de son rêve. Elle n'ose pas demander à Denis si ces créatures marines ont déjà été aperçues à Saint-Jean-Port-Joli. Elle frissonne à l'idée que ce soit le cas. Revenus à l'entrée de la galerie, le conservateur se tourne vers Sophie.

— Si vous voulez bien m'attendre, je vais chercher la collection de votre grand-père.

— Merci, Monsieur Quevillon... Denis, se corrige-t-elle, devant l'air faussement fâché du conservateur.

Lorsqu'il disparaît derrière le rideau, Sophie réfléchit à la visite qu'elle vient de faire. Elle constate qu'elle a eu beaucoup de plaisir à écouter le conservateur lui décrire les œuvres exposées, mais aussi les techniques utilisées et les artistes mis de l'avant. Il faudra qu'elle lui pose quelques questions avant de quitter le musée.

41

Quelques minutes plus tard, il revient vers elle, les bras chargés de deux boîtes en carton qu'il dépose sur le comptoir d'accueil, à côté de la caisse. D'un geste assuré, il retire le couvercle de la première avant de plonger la main à l'intérieur pour en sortir un objet emballé dans du papier bulle. Il vide ensuite la boîte de son contenu et aligne les paquets sur le comptoir. Lorsque la deuxième boîte est vide, elle aussi, Sophie compte près d'une vingtaine de statues.

Elle lance un regard interrogatif au conservateur, qui la rassure d'un signe de tête et d'un sourire. Une fois toutes les statuettes retirées de leur enveloppe protectrice, Sophie et Denis sont debout au milieu d'une mer de papier. L'adolescente prend une sculpture au hasard et la tourne entre ses mains. L'œuvre représente une créature étrange formée d'un corps et d'une queue de félin. Le corps est prolongé d'un long cou qui ressemble à un serpent, lui-même surmonté d'une tête qui fait penser à celle d'un chat, mais avec des cornes de bison. Curieuse, Sophie s'apprête à demander la nature de la créature représentée lorsqu'elle remarque une petite plaque vissée sur sa base. Deux mots y sont gravés : « Panthère d'eau ». Elle s'en étonne, puisque son grand-père n'en parle pas du tout dans son journal. Elle se promet de faire quelques recherches sur Internet au sujet de cette bête.

La jeune fille prend une autre sculpture, celle d'une jeune femme vêtue d'une robe de mariée qui semble voler autour d'elle. Sophie suit le grain du bois avec ses doigts, laissant ses mains caresser les plis du vêtement et l'ondulation des cheveux. L'adolescente l'a reconnue. L'inscription au bas de la sculpture confirme son intuition. Il s'agit bien de la Dame blanche. Le conservateur pousse un soupir. Sophie se tourne vers lui :

— Vous saviez que c'était la pièce maîtresse de sa collection ? Il était fasciné par cette légende. Il en faisait presque une obsession. Chaque fois qu'on se voyait, il avait une nouvelle histoire à me raconter à son sujet. Il lui arrivait même d'en parler comme s'il l'avait déjà croisée. En fait, il l'appelait sa « grande Dame ».

L'expression utilisée par Denis produit un déclic dans l'esprit de Sophie. Fébrile, elle tourne et retourne la statuette entre ses mains. Sous la base, elle remarque un cercle plus pâle qui a un diamètre plus petit. Elle le gratte avec l'ongle de son pouce et, à sa grande surprise, elle déloge une rondelle de bois qui bouchait une cavité semblant avoir été creusée dans une bonne partie de la sculpture. En regardant à l'intérieur, elle voit quelque chose de coincé. Elle insère le petit doigt et en retire un rouleau de papier qui se déplie entre ses mains.

Il s'agit de deux feuilles roulées très serrées. Une écriture qu'elle reconnaîtrait n'importe où remplit les deux côtés des feuillets, qui ont la taille de ceux d'un journal intime.

La jeune fille s'apprête à lire les pages manquantes du carnet de son grand-père lorsqu'elle se rappelle où elle se trouve et avec qui elle est. Gênée, elle range les feuilles dans la poche arrière de son jeans et, pour meubler le silence inconfortable qui suit, elle saisit une autre statuette au hasard. La sculpture représente une étrange créature qui semble posséder de nombreuses articulations, mais pas de corps à proprement parler.

Elle regarde la plaque pour y découvrir l'identité de la bête : « Jack mistigri ». Sophie ne peut retenir un frisson de dégoût devant l'apparence hideuse de la créature. Elle remballe immédiatement la statuette et la range brusquement dans la caisse de transport.

42

Désireuse de changer de sujet, Sophie interroge le conservateur sur son métier. Les yeux du conservateur s'illuminent.

— Quand j'étais petit, j'étais fasciné par les sculpteurs qui se réunissaient sur le quai, les samedis après-midi, au milieu des pêcheurs et des propriétaires de bateaux. J'ai bien tenté d'apprendre le métier, mais mes mains ne voulaient rien savoir. Je me suis donc rabattu sur l'autre côté de la médaille, et j'ai étudié en muséologie. Puis, quand j'ai su que le poste ici était libre, j'ai envoyé ma candidature et j'ai été choisi.

Sophie sourit devant un tel étalage de passion.

— D'ailleurs, ça me fait penser que j'aurais besoin de quelqu'un pour me donner un coup de main cet été, durant la haute saison.

Sophie ne sait pas si c'est une offre véritable ou simplement une constatation. Le conservateur la regarde en fronçant les sourcils :

— Alors, le poste vous intéresse-t-il ?

Sophie retrouve tant bien que mal la parole.

— Oui, votre proposition est tentante. Je vais y réfléchir sérieusement et je vous rappelle d'ici demain pour vous donner ma réponse. Ça vous convient ?

— Ça me va parfaitement, et je suis heureux de voir le sérieux avec lequel vous traitez ma proposition. Je sens qu'on va bien s'entendre, tous les deux. Voici ma carte.

Sophie prend la carte professionnelle et la place dans son porte-feuille. Puis, elle remballe les statues, avec l'aide du conservateur, avant de les remettre dans les boîtes.

— Ça vous dérange si je les laisse sur le comptoir le temps que quelqu'un vienne me chercher ?

Le conservateur secoue la tête et Sophie compose le numéro de sa tante. Lorsqu'elle tombe sur la boîte vocale, elle appelle le cellulaire de sa mère. Celle-ci répond après deux sonneries et convient avec Sophie d'un rendez-vous au musée avec son père dans les minutes qui viennent.

Lorsqu'elle voit sa voiture s'arrêter devant le musée, elle salue une dernière fois le conservateur et sort, avec les deux boîtes dans les bras. Elle dépose son précieux chargement dans le coffre et monte à l'avant, où son père l'accueille avec un sourire.

— Je vois que l'après-midi a été productif !

— Absolument ! Et j'ai quelque chose à vous annoncer.

Son père la regarde en haussant les sourcils.

— Ah ? J'espère que ce n'est rien de grave ?

Sophie éclate de rire.

— Ne t'en fais pas, c'est une bonne nouvelle, mais il faut quand même qu'on en discute. Mais ce soir, pendant le souper. Là, je suis exténuée.

— Ça tombe bien, ta mère fait demander si tu préfères aller te reposer chez ton oncle et ta tante, plutôt que de venir finir la journée chez ton grand-père. Elle sait que tu travailles fort à l'école. On devrait en avoir encore pour deux heures environ, plus le temps de ranger ce qui reste. Tu pourrais faire une sieste jusqu'à ce qu'on revienne.

— C'est parfait pour moi !

Le trajet se déroule en silence. Sophie en profite pour savourer le fait qu'elle s'est trouvé un travail d'été qui l'enthousiasme. En plus, elle a enfin récupéré la collection de sculptures de son grand-père. Elle a hâte d'être de retour chez elle pour pouvoir examiner le tout plus attentivement.

Son père la dépose chez son oncle et sa tante, avant de repartir vers la maison de son grand-père. Sophie, de son côté, se traîne les pieds jusqu'à la chambre d'amis où elle est installée. Elle prend la valise restée sur son lit pour la déposer par terre, mais lorsqu'elle regarde la coiffeuse, elle suspend son geste. Le journal de son grand-père, qu'elle avait laissé sur le dessus de ses vêtements, dans ses bagages, est maintenant placé sur le meuble.

Elle pose la valise au sol et s'approche lentement du meuble, comme si le livre qui s'y trouve pouvait la mordre. Est-elle bien sûre de ne pas l'avoir changé de place elle-même ? Pas totalement, mais dans son souvenir, il était dans sa valise, déposé négligemment sur sa veste de laine. Qui aurait pu le déplacer, et pourquoi ?

Et si quelqu'un l'avait lu pendant son absence ? Elle hausse les épaules et tente de chasser son malaise. Elle essaie de se rassurer en se disant que c'est probablement sa tante qui l'a posé là, pensant qu'elle voudrait le lire en rentrant. Elle le laisse à sa place et s'étend sur le lit sans repousser les draps, mais le sommeil tarde à venir, malgré sa fatigue. Elle ferme les yeux et tente de faire le vide dans son esprit. Quelques minutes plus tard, sa respiration devient régulière et elle s'endort.

43

Le lendemain, Sophie n'ose pas poser de questions au sujet du journal. La vente de garage est un succès, qui dépasse les attentes de sa mère. En fin d'après-midi, ils ne mettent que cinq minutes à trier les derniers objets, afin de décider ce qui sera jeté et ce qui sera donné à une œuvre de charité. Sa tante et son oncle offrent de transporter les boîtes, ce qui permet à Sophie et à sa mère de rentrer à Québec pour le souper. Avant de partir, Sophie et son père se promettent de se revoir bientôt.

En arrivant à la maison, elles commandent une pizza, puis Sophie monte à sa chambre pour lire les pages du journal de son grand-père, trouvées dans la Dame blanche.

3 novembre 2016

C'est à n'y rien comprendre ! Thomas vient de m'appeler : ils ont dû intervenir à cause d'une attaque de sirènes, près de Baie-Comeau. Pourtant, nos précédentes observations montrent que ce groupe est particulièrement tranquille et qu'il a renoncé à se nourrir de chair humaine, au profit de poissons. Mais Thomas est formel, un groupe de pêcheurs a bel et bien été la cible de ces créatures. Le seul survivant raconte comment l'équipage a semblé être sous l'emprise d'un charme étrange, alors que leur chalutier se dirigeait vers leur emplacement de pêche habituel. Selon lui, plusieurs hommes parlaient d'une mélodie envoûtante, qu'ils voulaient entendre de plus près. Le pauvre homme avait les oreilles bouchées à cause d'un gros rhume. Il ne comprenait donc pas de quoi il était question. Par contre, il a bien vu que ses compagnons semblaient agir comme s'ils étaient plongés dans un état second. Leurs gestes étaient mécaniques, et ils avaient le regard fixé vers un point précis, à l'embouchure du golfe.

Le chalutier a finalement atteint sa destination, puisque le capitaine a ordonné l'arrêt des moteurs. À ce moment-là, le pauvre pêcheur a vu ses camarades se jeter à l'eau, où ils ont été entraînés sous la surface par ce qu'il décrit comme des créatures à l'allure de femmes magnifiques, avec une queue de poisson. Il a tenté d'en retenir quelques-uns par le bras, mais ils étaient manipulés par une force plus grande que la sienne. Il a assisté, impuissant, à un véritable carnage, alors que les sirènes ont dévoré les pauvres pêcheurs vivants. Heureusement pour lui, il a eu la présence d'esprit de remettre le moteur en marche et de s'éloigner le plus rapidement possible de ce sinistre endroit.

Thomas a dépêché deux chasseurs au lieu présumé de l'attaque. Leur témoignage confirme nos craintes. Ils ont retrouvé des morceaux de vêtements accrochés dans les filets du bateau, et ils ont enregistré des chants de sirène provenant de sous la surface. S'ils n'avaient pas pris les précautions élémentaires en s'insérant des bouchons antibruit dans les oreilles, ils auraient rapidement rejoint les infortunés pêcheurs. Je ne sais que penser de ce regrettable incident. Je frissonne à l'idée d'actes agressifs sur une plus grande échelle de la part des créatures que nous sommes chargés d'observer. Si c'était le cas, je crains que nous ne soyons pas assez nombreux pour contenir une telle menace.

Mais rien ne sert d'échafauder des scénarios catastrophes en se basant sur une seule attaque. Comme le dit Thomas, nous devrons redoubler de vigilance dans les prochaines semaines. Il se peut qu'il s'agisse d'un événement isolé, bien que très regrettable. La Confrérie a évidemment pris les mesures qui s'imposaient, et le groupe de sirènes a été définitivement maîtrisé. Elles ont été abattues jusqu'à la dernière. C'est d'une tristesse infinie, mais je comprends la nécessité d'une telle action. J'espère que nous n'aurons pas à intervenir encore de cette manière. J'ai rejoint la Confrérie pour observer et étudier, pas pour chasser et exterminer. Dans toute cette histoire, il y a quand même un élément qui me dérange. D'après l'un des membres qui ont participé à la mise à mort, l'une des sirènes aurait confié avant de mourir : « C'étaient des mensonges, après tout. Nous n'aurions pas dû l'écouter. Il nous a menées à notre perte. » Personne à la Confrérie n'a sourcillé devant cette étrange remarque. Pourtant, je ne peux m'empêcher de réfléchir à l'identité de ce mystérieux personnage qui semble avoir influencé les sirènes. Je crois avoir une idée à ce sujet, mais j'ai peur d'avoir raison...

44

Sophie dépose les feuilles, complètement sonnée. Des attaques de créatures ? Quelle idée terrifiante ! Et dire que son grand-père y a été mêlé malgré lui.

Au fil des jours, celui-ci a noté un nombre grandissant d'agressions et de réactions violentes de la part des créatures fantastiques, à la grandeur de la province. Plus le temps passe, et plus le ton des entrées dans son journal se fait anxieux, voire désespéré. Son grand-père, et par extension la Confrérie, semble dépassé par les événements. Mais qu'est-ce qui a bien pu causer une telle activité ? Et quel lien tout cela a-t-il avec le fait qu'il a choisi d'arracher ces feuillets et de les cacher ?

C'est dans la dernière entrée, datée d'un peu moins d'une semaine avant sa mort, que Sophie trouve un début de réponse.

21 novembre 2016

Cette fois, impossible de le nier, quelque chose de terrible se prépare. Toute cette agitation parmi les créatures fantastiques n'était qu'un prélude. J'ai une idée de ce qui s'en vient, mais c'est si énorme, tellement improbable, que personne ne me croira. Après tout, plus personne ne croit au Diable, non ? Je dois trouver plus de preuves avant d'en parler à Thomas et à la Confrérie. De toute manière, je n'arrive même pas à les convaincre que les différents incidents des dernières semaines sont reliés et ne sont que la partie émergée de l'iceberg. Pourquoi me croiraient-ils ?

Sophie, si tu lis ceci, c'est que mes recherches m'ont été fatales et que j'ai découvert des informations que je n'aurais pas dû...

L'adolescente laisse tomber les pages, comme si elles lui avaient brûlé les doigts. Sophie se lèche nerveusement les lèvres, repousse une mèche derrière son oreille et reprend les feuillets avec un air prudent. Elle doit savoir, et pour ça, il faut qu'elle termine sa lecture. Mais elle a l'impression que tout cela la dépasse, qu'elle est face à un problème plus grand qu'elle. Pourtant, son grand-père tenait à ce qu'elle sache toute l'histoire, sinon, il ne lui aurait pas légué son journal ni sa collection de sculptures. Elle inspire profondément et expirc lentement, tentant de faire le calme dans son esprit. Puis elle se replonge dans les derniers mots de son grand-père.

Par mesure de sécurité, je vais déchirer ces pages et en cacher une partie dans ma sculpture préférée. Les autres, celles où je couche enfin mes hypothèses sur papier, je les confie à mon coffret de sécurité. Je ne voudrais pas que tu les trouves avant d'être prête à affronter la menace que je pense avoir découverte. Et il n'est pas question que la personne qui cherche à m'éliminer mette la main dessus. Il y a trop de choses en jeu. J'espère que ma Dame blanche te sera aussi bénéfique que la vraie peut l'être pour les enfants perdus. Avec un minimum de chance, tu ne les trouveras pas, et mon journal te donnera simplement l'impression que ton grand-père était un vieux fou qui n'avait plus toute sa tête. Et c'est probablement mieux comme ça.

À ces mots, Sophie sent les larmes lui monter aux yeux, en même temps qu'un reflux de bile acide lui brûle la gorge. Une larme roule sur sa joue et vient s'écraser sur la page qu'elle tient encore entre ses mains, diluant l'encre en une tache noire et informe.

Sophie s'essuie distraitement les yeux, renifle et s'empare du tout dernier feuillet.

Mais si jamais tu trouves ces pages, alors tu dois continuer mes recherches. J'aurais préféré que tu ne sois pas mêlée à tout ça, mais comme ça te concerne directement, je ne peux pas te demander de faire comme si de rien n'était. Je te connais trop bien, on se ressemble énormément sur ce point. N'hésite pas à contacter la Confrérie, ils pourront t'aider à rompre la malédiction familiale, même si je ne sais pas encore comment. Et si tu le peux, convaincs-les que la menace est réelle et qu'ils sont en danger. Aie confiance en tes capacités et sers-toi de ta tête.

Je t'aime.

Ton grand-père,
Laurier Picard

Cette fois, Sophie se laisse aller au chagrin qui la submerge. Ses épaules bougent au rythme de ses sanglots silencieux. Quelques minutes plus tard, elle agrippe à tâtons la boîte de papiers mouchoirs et s'essuie les yeux avant de se moucher bruyamment. Elle tente de faire le tri dans les pensées qui l'assaillent. Elle en vient à la conclusion que la mort de son grand-père n'avait rien de naturel. Elle est convaincue qu'il a découvert quelque chose au sujet des créatures surveillées par la Confrérie, ou à propos d'un événement plus important, et qu'il est mort à cause de cela. Selon lui, quelqu'un d'autre est au courant pour la malédiction. Mais qui ? Probablement un membre des Chasseurs, sinon il aurait nommé directement la personne. Elle refuse de rester inactive en sachant que l'âme de son grand-père est aux mains du Diable. Elle frissonne à cette idée, qu'elle aurait trouvée farfelue et tirée par les cheveux il y a quelques mois à peine.

Elle passe à la salle de bain pour se rafraîchir un peu, puis elle descend à la cuisine, où sa mère est en train de sortir un poulet rôti du four. Elle demeure silencieuse et distante tout au long du repas, mais sa mère ne lui fait aucune remarque, à son grand soulagement. Une fois la vaisselle lavée et rangée, elle monte dans sa chambre et décide de se coucher. Elle craint de ne pas pouvoir s'endormir avant plusieurs heures, mais elle sombre dans un sommeil profond dès qu'elle pose la tête sur son oreiller.

45

Elle se retrouve à nouveau aux chutes Montmorency. Cette fois, c'est différent, puisqu'elle a l'impression de flotter au-dessus du pont suspendu, ce qui lui donne un point de vue sur tout ce qui se passe aux alentours. C'est ainsi qu'elle voit Sarah s'avancer sur la structure qui enjambe le bassin bouillonnant. Sophie tente de s'approcher, mais elle est incapable de bouger. Elle n'arrive pas non plus à se faire entendre de son amie. Elle ignore si c'est à cause du bruit causé par les trombes d'eau ou si c'est parce qu'elle est muette. Elle se remémore son autre rêve mettant en scène Émilie, et elle craint le pire.

Lorsque Sarah est parvenue à la moitié du pont, elle s'arrête et penche la tête, comme si quelqu'un lui parlait à voix basse. Sophie a beau se concentrer, elle n'entend rien. Sarah continue d'écouter son mystérieux interlocuteur et, après quelques minutes, elle grimpe sur la rambarde qui court tout le long du pont. Sophie tente par tous les moyens d'attirer l'attention de son amie, mais c'est comme si elle était invisible. Pendant ce temps, Sarah regarde fixement devant elle. Sa tête est toujours penchée sur le côté, comme si elle recevait des instructions sur sa conduite. Tout se passe alors en accéléré. Sarah lève une jambe pour faire un pas en avant et, au même moment, quelque chose, ou plutôt quelqu'un, jaillit de la chute et agrippe le bras de la jeune fille pour la tirer vers l'avant. Alors que Sophie hurle de toutes ses forces le prénom de Sarah, celle-ci tombe sans produire un son et est rapidement engloutie par le bouillonnement au pied des cataractes...

Sophie se réveille en larmes. Elle articule silencieusement le prénom de son amie, en un appel désespéré. Elle a besoin de quelques minutes pour se remettre de son rêve, qui lui paraissait si réel. Elle doit absolument voir Sarah avant le début des cours, ne serait-ce que pour se convaincre que c'était un simple cauchemar. Elle déjeune donc en vitesse avant de partir pour l'école. Arrivée devant le casier de son amie, elle patiente jusqu'à ce que la cloche sonne. Anxieuse, elle se rend au cours de français, où elle espère voir Émilie. Même si elle ne peut pas vraiment discuter avec son amie, elle pourra au moins lui demander brièvement des nouvelles de Sarah. En classe, elle remarque la place vide à côté de son bureau. Mais où peut bien être son amie ? Alors qu'elle passe en revue plusieurs explications plus ou moins convaincantes en essayant de suivre le cours, elle voit Émilie s'encadrer dans la porte de la classe, essoufflée et les joues rouges. Madame Thouin ne dit rien. Émilie vient se laisser tomber sur sa chaise, à côté de Sophie. Celle-ci lui lance un regard interrogateur, et Émilie lève un doigt en retour pour lui faire signe d'attendre la pause.

Soulagée, mais curieuse de connaître la raison de ce retard, Sophie retourne son attention vers ses exercices d'accord, lorsque l'interphone grésille :

— Bonjour, ici monsieur Rivard. Les élèves de cinquième secondaire sont priés de se présenter à l'auditorium. Merci.

Sophie est surprise : la voix du directeur est éteinte. On dirait qu'il devait faire un effort pour sembler jovial. En repensant à la dernière fois où il les a contactés via l'interphone, l'adolescente craint le pire. Elle se tourne vers Émilie, mais celle-ci se contente de la regarder d'un air surpris.

Elles suivent madame Thouin et les autres élèves du cours de français jusqu'à l'auditorium. En entrant dans la salle, Sophie a un mauvais pressentiment. Elle s'assoit à l'arrière, après avoir cherché en vain Sarah. Lorsqu'elle regarde en direction de la scène, où elle s'attend à voir le directeur debout, attendant impatiemment de pouvoir prendre la parole, elle est surprise et légèrement effrayée de le voir assis, encadré par un homme et une femme en uniforme de policier. Un professeur qu'elle ne connaît que de vue vient d'entrer avec son groupe et adresse un signe au directeur, qui se lève et se dirige vers le micro.

— Bonjour à tous et à toutes. Merci d'être là.

Cette fois, Sophie n'a aucune envie de faire de blague. Un coup d'œil en direction d'Émilie lui confirme que son amie est dans le même état d'esprit.

— J'ai le regret de vous annoncer que trois autres élèves de cinquième secondaire se seraient suicidés durant la fin de semaine. Leurs corps ont été retrouvés aux chutes Montmorency à différents moments, au même endroit que les deux précédents. Il s'agit de Mélanie Tourangeau, de Jérôme Bienvenue et de Sarah Berthiaume. Comme la police considère maintenant qu'il s'agit d'une vague de suicides, nous avons convenu avec les autorités policières qu'une discussion à ce sujet serait de mise. Je vous présente donc les agents Poulin et Jacob, spécialisés dans l'intervention auprès des jeunes.

Sophie voit les deux policiers se lever et s'approcher du micro, mais elle n'entend rien de ce qu'ils disent. Elle n'arrive plus à respirer, et des points noirs flottent devant ses yeux. Son rêve était donc réel ! Elle a la possibilité de voir l'avenir ? Si c'était le cas, son grand-père aurait mentionné un tel don dans son journal. À moins que ce ne soit pas, contrairement à la malédiction, une affaire de famille ? Sophie sent une main sur son épaule, mais elle est incapable de réagir. Lorsqu'elle se sent brusquement secouée, elle tourne la tête lentement et aperçoit les grands yeux d'Émilie. Elle y voit du chagrin et de la douleur, mais c'est l'étincelle de panique qu'elle y lit qui parvient à la sortir de son engourdissement.

Incapable de parler, Sophie hoche la tête pour faire signe qu'elle va mieux. D'un doigt tremblant, elle indique la sortie de l'auditorium. Émilie suit son geste et se lève brusquement, puis se dirige d'un pas rapide vers la porte. Sophie prend elle aussi la direction de la sortie, avec l'impression que ses jambes sont faites en coton. Sans trop savoir comment, elle parvient à atteindre la porte et rejoint Émilie qui l'attend dans le couloir.

Sans un mot, les deux amies sortent de l'école et se rendent au parc situé tout près. Sophie s'assoit sur une balançoire. Émilie prend place sur celle d'à côté. Sophie pousse sur ses jambes pour se donner un élan. Une fois redescendue, c'est Émilie qui donne à son tour une impulsion à son siège, afin de créer un effet de pendule avec elle. Sophie regarde fixement droit devant elle en silence. À travers les bruits de circulation et le chant des oiseaux, elle entend clairement Émilie éclater en sanglots. Incapable de regarder son amie, elle se concentre sur son mouvement de balancier, pendant qu'une phrase rebondit dans son esprit comme un oiseau qui cherche une ouverture pour s'enfuir : « J'aurais dû faire quelque chose. »

46

Sophie se réveille en sursaut, le corps couvert de sueur et les draps entortillés autour d'elle. Encore un cauchemar ! Ça fait maintenant trois semaines qu'elle fait ces rêves à répétition. Le décor ne change jamais. Elle se retrouve toujours aux chutes Montmorency. C'est le scénario qui varie d'une fois à l'autre, pour son plus grand malheur. Elle se sent responsable de la mort de Sarah, et son subconscient le sait trop bien. Chaque soir, Sophie s'endort en espérant avoir une nuit tranquille et, immanquablement, elle se retrouve sur le pont suspendu au-dessus de l'eau mugissante, à regarder Sarah tomber dans le bassin au pied de la chute, impuissante à la sauver. Les pires cauchemars sont toutefois ceux où c'est elle-même qui pousse Sarah dans le vide.

Ce rêve a commencé à faire son apparition après la mort de Sarah, à la suite de la visite qu'elle a faite avec Émilie au salon funéraire. Sophie y a croisé de nombreux élèves et professeurs. Elle n'avait pas la force d'aller voir les parents de Sarah, mais ceux-ci l'ont vue et lui ont fait un signe de la main. Sophie s'est sentie obligée d'aller au moins leur présenter ses condoléances. Elle a maladroitement tenté de les réconforter. Après une heure à voir les gens se recueillir devant le cercueil fermé, elle a fait signe à Émilie pour s'en aller.

La cérémonie à l'église a été moins pénible, mais pas moins étrange. Les parents de Sarah et des deux autres jeunes s'étaient entendus pour organiser une célébration commune pour les trois adolescents, permettant ainsi aux élèves et aux membres du personnel de l'école de venir leur rendre un dernier hommage.

Entre les deux, il y a eu une rencontre avec les policiers pour parler des derniers jours de Sarah, pour tenter de déterminer si elle était plus triste que d'habitude ou si elle semblait préoccupée. Par la suite, Sophie a passé son temps à se demander si elle avait raté un signe, quelque chose qui aurait dû la mettre sur ses gardes. Lorsqu'elle en a eu assez de se torturer l'esprit, elle est allée voir la psychologue de l'école. Elle lui a parlé de ses cauchemars, de son anxiété, de sa culpabilité et de sa tristesse.

Et à travers tout ça, il y avait les travaux de fin d'année. Les professeurs et la direction ont voulu se montrer compréhensifs, mais il était hors de question d'annuler les travaux et les examens. Ils ont donc simplement repoussé les échéances, mais Sophie en a profité pour s'étourdir dans ses études et dans ses recherches pour son travail de français.

En rentrant de l'école, un jeudi soir, Sophie se rend compte qu'elle n'a pas vu Émilie en dehors de l'école depuis la cérémonie à l'église. Elle décroche le téléphone, commence à composer, mais repose le combiné après les trois premiers chiffres. C'est si dur de faire comme si tout était revenu à la normale, comme si elle avait repris sa vie d'avant, alors qu'il y a un grand trou dans sa vie. Elle a été ébranlée en apprenant les deux premiers suicides, mais avec la mort de Sarah, c'est devenu quelque chose de beaucoup plus profond, de plus personnel, comme si c'était elle qu'on avait cherché à atteindre à travers son amie.

C'est absurde comme impression, mais elle n'arrive pas à s'en débarrasser. Est-ce la raison pour laquelle elle évite Émilie ? Parce qu'elle a peur qu'on s'en prenne également à sa meilleure amie ? Sophie a beau nier cette idée avec véhémence, elle ne reprend pas le téléphone pour appeler Émilie. Elle se raisonne en se disant qu'elle la verra à l'école le lendemain. Elle pourra alors lui proposer une activité à faire durant la fin de semaine. Malgré cette résolution, Sophie n'est pas tranquille. Pour se changer les idées, elle descend au salon voir si sa mère n'aurait pas envie de regarder un film, n'importe lequel.

Après une nuit agitée et peu reposante, où elle rêve encore qu'elle pousse Sarah vers sa mort, Sophie se rend à l'école à reculons. Lorsqu'elle croise Émilie à sa case, elle s'approche avec réticence.

— Ça te dirait qu'on se voie en fin de semaine ? J'ai appris certaines choses, et je voulais en parler avec toi avant...

Sophie déglutit péniblement avant de reprendre :

— ... avant ce qui est arrivé à Sarah.

— Tu parles de son suicide ?

— Tu n'étais pas obligée de le dire de manière aussi abrupte !

— Écoute, je ne vais pas m'excuser d'être directe, surtout que ça fait deux semaines que j'ai l'impression que tu m'évites. Que se passe-t-il ?

Sophie déteste quand Émilie la perce à jour aussi facilement. Elle s'éloigne de quelques pas, puis revient vers les casiers. Après un moment de réflexion, elle décide d'être franche.

— Je me sens responsable, Émilie. Je sais que ça va avoir l'air complètement fou, mais j'ai l'impression que j'aurais pu empêcher la mort de Sarah.

— Parce que tu étais sur place ? Tu l'as vue grimper sur le parapet et tu n'as rien fait ? C'est ce que tu essaies de me dire ? Désolée, Sophie, mais je pense que tu culpabilises pour rien.

Sophie secoue la tête, incapable d'avouer à son amie l'étrange pouvoir que certains de ses rêves recèlent. Elle soupire de frustration.

— Je me suis fait la même réflexion que toi, mais je n'arrive pas à m'enlever cette idée-là de la tête. Et j'ai peur qu'il t'arrive quelque chose. C'est pour ça que je me suis éloignée, ces dernières semaines. Bon, on a aussi plein d'études à faire et plusieurs travaux à rendre bientôt...

— Mouais, c'est ça ! Essaie de me faire croire que tu es soudainement devenue studieuse. Donc, tu m'évites parce que tu as peur de ne pas arriver à me sauver si jamais j'étais en danger. C'est ça ?

— Dit comme ça, je sais que ça n'a pas de sens. Mais oui, c'était ma crainte.

— Mais tu es venue me parler ce matin. Tu as changé d'idée ou tu as décidé de tenter ta chance ?

— J'ai décidé que je me faisais des idées et que notre amitié était trop importante pour que je laisse une simple lubie nous séparer.

— Continue, je suis presque convaincue !

— Arrête, Émilie, je suis sérieuse ! Je m'excuse de t'avoir tenue à distance. Je me doute que les choses n'ont pas été faciles pour toi non plus.

— C'est correct...

Lorsque la cloche sonne, Sophie prend le temps de serrer Émilie dans ses bras avant de se diriger vers son cours d'histoire. La journée se déroule normalement, et Sophie en vient à penser que son intuition était fausse et qu'elle se fait du souci pour rien. C'est le cœur plus léger qu'elle rentre chez elle à la fin des cours. Pour ajouter à sa bonne humeur, sa mère a décidé de cuisiner des mets indiens pour le souper. Sophie dévore son poulet au beurre et ses pakoras avec appétit, bien installée dans son fauteuil préféré, devant un film catastrophe qui passe à la télévision.

Le lendemain, la jeune fille a l'impression d'émerger d'un mauvais rêve qui aurait commencé au moment où elle a appris la mort de Sarah. Elle déjeune avec appétit et range sa chambre en fredonnant. Elle informe sa mère qu'Émilie vient passer l'après-midi avec elle, et celle-ci acquiesce avec le sourire. Lorsque la sonnette se fait entendre, en début d'après-midi, Sophie s'empresse d'aller ouvrir la porte à son amie. Le sourire qui flottait sur ses lèvres disparaît brusquement lorsqu'elle constate la mine sombre d'Émilie. Elle l'invite à entrer et les deux amies montent à sa chambre.

47

Sophie s'installe sur son lit, adossée à ses coussins, alors qu'Émilie s'assoit dans la chaise de bureau. Son amie a les traits tirés, et des cernes sombres soulignent ses yeux. Soucieuse, Sophie l'interroge.

— Voyons, Émilie, qu'est-ce qui se passe ? As-tu mal dormi ? Est-ce qu'il est arrivé quelque chose chez vous ?

— Bof, je ne sais pas. J'ai l'impression que la mort de Sarah m'a affectée plus que je le pensais.

— Ben là ! Je peux faire quelque chose ?

— Non, pas vraiment. Tu voulais me parler de quelque chose à propos de ton grand-père ?

Déstabilisée par le brusque changement de sujet, Sophie ne sait que répondre. Émilie profite du silence pour reprendre la parole.

— J'ai pas mal réfléchi depuis hier, et je pense que je comprends Sarah et les autres.

— Ça veut dire quoi ?

— J'ai l'impression de vivre la même chose qu'eux.

— Arrête, Émilie ! Ce n'est pas drôle du tout. Tu m'inquiètes.

— J'en ai assez du stress de l'école, de la pression de mes parents, d'essayer de penser à ce que je veux faire plus tard, alors que je n'ai même pas terminé mon secondaire.

— De quoi tu parles ? Mais tu dis n'importe quoi ! Je te connais, tu n'as même pas besoin d'étudier pour avoir des bonnes notes dans toutes les matières. Et tes parents ne te mettent pas de pression. Au contraire, ils sont super fiers de toi et ils vont te soutenir, peu importe ce que tu décides de faire après le cégep !

— Je suis bonne pour faire semblant. C'est pour ça que tout le monde trouve que je suis la meilleure en impro.

— Tu m'inquiètes, Émilie. Tu n'étais pas comme ça hier, quand on s'est parlé.

— Et toi, tu m'énerves avec tes questions ! Tu es comme les autres, vous êtes tout le temps sur mon dos.

— Tu es allée voir la psychologue de l'école ?

— Je n'ai pas eu le choix, mes parents m'y ont obligée. Je faisais des cauchemars et je me réveillais en criant.

Sophie se lève et serre la main de son amie.

— Je comprends, ça m'est arrivé à moi aussi.

Émilie retire sa main, et Sophie recule, comme si son amie venait de la gifler.

— Non, tu ne peux pas comprendre. De toute manière, ce sera bientôt fini.

— Qu'est-ce que tu veux dire ?

— Je n'ai plus envie de résister, plus envie de lutter.

— Mais de quoi tu parles ?

— De la voix, Sophie. Elle m'appelle, elle me parle dans ma tête. Je suis fatiguée, et elle me promet que je pourrai me reposer. Quand je serai allée la rejoindre.

— Où ça ?

Émilie sourit, comme si elle se remémorait un souvenir plaisant.

— Aux chutes. Elle veut que je vienne la voir aux chutes.

— Et qu'es-tu censée faire quand tu y seras ?

— Elle ne me l'a pas encore dit. Mais je le saurai une fois sur place. Ça aussi, elle me l'a promis.

— Arrête, Émilie, tu commences à me faire peur !

— Tu n'as pas à t'inquiéter, tout va bien aller. Elle va bien s'occuper de moi.

Sophie ne sait plus quoi dire pour sortir son amie de cette étrange attitude. Elle pense la gifler, mais elle craint que ça ne fasse qu'empirer les choses. Elle se résigne donc à simplement la serrer dans ses bras. La jeune fille sent son amie se raidir pendant une seconde, puis se laisser étreindre. Lorsqu'elles sont de nouveau face à face, Sophie constate que les yeux d'Émilie ont perdu leur air rêveur. Celle-ci sourit.

— Voyons, Sophie, ne t'en fais pas, je suis correcte.

Puis, elle enchaîne :

— Bon, il faut que j'y aille, mes parents doivent m'attendre. On se parle demain !

Sophie raccompagne son amie jusqu'à l'entrée, en silence. Elle la regarde marcher d'un pas rapide, le dos raide et la tête droite. Lorsqu'Émilie tourne le coin de la rue, Sophie rentre et ferme doucement la porte, pour ne pas inquiéter sa mère. Elle préfère attendre un peu avant de lui dire que son amie est partie.

Sophie monte s'enfermer dans sa chambre pour tenter de remettre de l'ordre dans ses idées et pour essayer de comprendre le comportement étrange de son amie. Elle sort un carnet de notes et y inscrit tout ce qui lui passe par la tête. Une fois débarrassée de son trop-plein d'émotions, elle tente de trouver un lien entre les différents suicides. Elle a beau se creuser la tête, elle n'arrive pas à relier le pacte de suicide aux trois événements séparés qui se sont tout de même produits le même jour et au changement d'attitude d'Émilie. En fait, la seule chose qui revient à chaque fois, ce sont les chutes Montmorency. Mais qu'est-ce qu'elles ont à voir dans tout ça ? Ses rêves à propos de la Dame blanche seraient liés ? Après tout, elle l'a vue plusieurs fois dans ses cauchemars, et à deux reprises, la créature causait la mort de Sarah et, auparavant, d'Émilie.

Les yeux agrandis par un horrible pressentiment, elle est interrompue dans ses réflexions par sa mère qui l'appelle pour lui demander si Émilie compte rester à souper. En essayant de garder un ton enjoué, elle lui dit qu'elle a dû rentrer plus tôt parce qu'elle ne se sentait pas bien. Sophie n'aime pas mentir, mais dans ce cas-ci, elle n'a pas le choix. Sophie a peur que son amie soit véritablement en danger. Malgré tout, elle refuse d'inquiéter sa mère ou les parents de son amie, sans savoir exactement ce qu'Émilie compte faire. De toute manière, celle-ci lui a bien dit qu'elle l'appellerait demain.

Elle remonte dans sa chambre quelques minutes, le temps d'appeler sa meilleure amie sur son cellulaire, pour s'assurer qu'elle est bien rentrée chez elle. Quand elle tombe sur la boîte vocale, elle ne laisse pas de message. Pas question d'avoir l'air de lui courir après. Elle va attendre l'appel d'Émilie, demain. Sophie descend au salon, où elle s'installe avec un livre pour passer le reste de son après-midi.

Vers l'heure du souper, c'est plus fort qu'elle. Sophie réessaie de joindre Émilie sur son cellulaire, mais c'est encore la boîte vocale qui prend le relais. Cette fois, elle laisse un message et demande à son amie de la rappeler. Il ne reste plus qu'à attendre son appel, le lendemain. À ce moment-là, si jamais elle refuse encore d'entendre raison, il sera toujours temps d'en parler à sa mère ou aux parents d'Émilie.

Rassurée par cette décision, elle passe la soirée à lire, et sa mère en profite pour terminer une nouvelle œuvre dans son atelier. Alors qu'elle est couchée et sur le point de s'endormir, une pensée traverse son esprit à la vitesse d'une comète : « On a voulu m'avertir à propos de la Dame blanche parce qu'elle est liée aux suicides. » Totalement réveillée,

Sophie se lève et allume son ordinateur. Pendant qu'il démarre, elle récupère le journal de son grand-père sur sa table de chevet et le feuillette, à la recherche du passage sur la Dame blanche et pour essayer de trouver d'autres mentions de l'apparition. Elle ne trouve rien de satisfaisant, mais heureusement, l'ordinateur est actif et elle s'empresse d'ouvrir son navigateur. Après une courte recherche, elle trouve ce qu'elle cherche.

> Des témoins décrivent, à tort, la Dame blanche comme étant un fantôme constitué de fines gouttelettes d'eau. En fait, elle n'est pas un spectre, mais plutôt un esprit protecteur des hommes et de la nature. Elle utiliserait les embruns de la cascade pour se rendre visible. La Dame blanche est reconnue pour son caractère docile et maternel. On affirme qu'elle n'hésiterait pas à venir en aide aux gens dans le besoin qui croisent sa route.

Déçue, Sophie éteint l'ordinateur et retourne se coucher. Cette fois, le sommeil est plus long à venir. L'esprit de Sophie échafaude des théories et des hypothèses pour expliquer ce qu'elle refuse de plus en plus de considérer comme de simples coïncidences.

48

La première chose que Sophie fait en se levant, c'est d'essayer de joindre Émilie sur son cellulaire. Mais comme la veille, la boîte vocale prend le relais. Frustrée, Sophie s'assoit dans son lit, le journal de son grand-père sur les genoux. Songeuse, elle s'installe devant son ordinateur pour poursuivre ses recherches.

Au bout de quelques instants, elle trouve une information qui lui remet en mémoire la visite qu'ils ont faite aux chutes Montmorency au printemps dernier. « La légende veut que quiconque touche la robe de bruine de la Dame blanche meure dans les jours qui suivent. » Sophie n'est pas totalement convaincue par cette hypothèse. Même si les cinq jeunes qui se sont suicidés avaient touché à cette fameuse robe durant leur visite en mars, deux mois se sont écoulés depuis. Et la légende parle de jours, pas de semaines !

Et quand ont-ils pu être en contact avec l'eau de la chute, ou avec ce qui pourrait ressembler au voile de la Dame blanche ? Elle y était, elle aussi, mais elle ne ressent rien de particulier.

Sophie tente de se rappeler la visite, afin de découvrir si les cinq jeunes qui se sont suicidés ont un point en commun qu'elle ne partage pas avec eux. Elle doit ajouter Émilie à l'équation. Comme si le nom de son amie avait servi de clé, une idée lui traverse l'esprit et elle hoquette de surprise. Le pont, voilà le lien ! Ils ont tous pris le pont suspendu, mais pas elle. C'est là qu'ils ont pu être involontairement en contact avec la robe de la Dame blanche. Ses cauchemars lui reviennent immédiatement en tête. Et comment a-t-elle pu oublier la photo et l'avertissement de Pierre ? Elle doit parler à Émilie. Tout de suite ! Lorsque la boîte vocale débite son message enregistré, Sophie prend une décision. Elle va se rendre directement chez son amie pour la mettre en garde. Soulagée par cette ligne de conduite, mais tout de même anxieuse à l'idée qu'Émilie ne réponde pas à son téléphone depuis la veille, Sophie descend à la cuisine.

Sa mère est levée, comme l'indique le bruit de la douche qui coule. Sophie lui laisse une note indiquant qu'elle passe chez Émilie et qu'elle sera de retour au plus tard pour le dîner. Puis, elle marche jusque chez son amie.

49

Arrivée devant la maison d'Émilie, Sophie hésite à sonner, parce qu'elle n'a aucune idée de ce qu'elle fera si son amie est absente. En fait, elle ne sait même pas à quel point les parents d'Émilie sont au courant que leur fille agit de manière étrange depuis la veille. Après quelques instants de doute, elle inspire profondément et appuie sur la sonnette.

Lorsqu'Émilie lui ouvre la porte, Sophie pousse un soupir de soulagement. Mais lorsqu'elle voit l'air renfrogné de son amie, elle a l'impression qu'un poids immense lui tombe sur les épaules.

— Euh... salut ! Qu'est-ce que tu fais là ?

— Ben, tu ne réponds pas à ton cellulaire depuis hier, et je commençais à m'inquiéter pour toi.

— Oh, ça ! J'ai éteint mon téléphone, hier. J'ai oublié de le rallumer.

Sophie hésite à lui parler de sa théorie à propos de la Dame blanche, de peur qu'Émilie se mette en colère, ou pire, se moque d'elle. Mais elle ne veut pas non plus retourner chez elle sans rien dire. Après un long moment chargé de tension, son amie lui fait signe d'entrer. Les parents d'Émilie sont dans la cuisine, en train de déjeuner. Sophie leur fait un signe de la main avant de la suivre dans sa chambre.

Une fois la porte fermée, elle regarde Émilie quelques instants avant de se lancer.

— Écoute, il faut que je te parle. Je pense que je sais ce qui est arrivé à Sarah et aux autres élèves qui sont morts.

— Ben là, c'est facile à deviner, ils se sont suicidés !

Sophie est surprise par la violence du ton de son amie. Elle secoue la tête, pendant qu'Émilie détourne le regard en soupirant. Alors que Sophie est sur le point de revenir à la charge, Émilie l'interrompt.

— Tu vas me dire qu'il y a une explication paranormale, c'est ça ? J'imagine que tu as découvert l'existence d'une créature fantastique qui est reconnue pour pousser les adolescents à se tuer, hein ?

Sophie est incapable de répondre. Elle ne peut que fixer Émilie, en tentant de deviner ce qui se passe dans sa tête. Comment peut-elle être aussi méchante ?

Sophie doit tenter de la raisonner, même si elle doit passer pour une folle.

— Écoute, Émilie, j'ai fait des cauchemars au sujet de la Dame blanche. Dans un de mes rêves, elle tuait Sarah. Dans un autre, c'était toi, sa victime.

Cette fois, la réponse de son amie est cinglante.

— Ah ? Parce que tu es devenue extralucide en plus du reste ?

Choquée, Sophie ne peut que fixer son amie d'un air incrédule. Comment les choses ont-elles pu déraper aussi rapidement ?

Émilie a probablement compris qu'elle est allée trop loin, parce qu'elle se passe les mains dans les cheveux en soupirant, avant de poursuivre :

— Je m'excuse, Sophie. Je sais que tu vis des choses difficiles depuis la mort de ton grand-père. Je comprends que tu sois chamboulée par tout ça. Mais ça ne veut pas dire qu'il n'y a pas d'explications rationnelles à la mort de Sarah et des autres.

Sophie doit à tout prix faire comprendre à Émilie à quel point la situation est grave et potentiellement dangereuse. Elle tente donc une dernière fois de la convaincre.

— Je pense que ces morts sont liées à la Dame blanche et à notre visite aux chutes Montmorency en mars.

50

Sophie raconte à Émilie le fruit de ses recherches de la veille et de celles effectuées quelques heures plus tôt. Elle revient aussi sur ses nombreux cauchemars qui se déroulent aux chutes Montmorency. Elle ne peut pas mentionner Pierre sans parler aussi de la Confrérie, mais elle pense avoir assez d'arguments pour que cela n'ajoute rien de vraiment important à ses découvertes. Son amie l'écoute sans l'interrompre, mais Sophie voit bien qu'elle n'y croit pas. Quand elle a terminé, elle attend de voir la réaction d'Émilie. Au bout de quelques minutes de silence, Sophie n'y tient plus et elle relance son amie.

— Qu'en penses-tu ?

— Et si tu t'en faisais pour rien et que les morts n'étaient pas liées ?

Sophie ouvre la bouche pour répondre, puis la referme assez fort pour faire claquer ses dents. Émilie en profite pour continuer à expliquer sa réflexion.

— Dans les deux premiers cas, ils ont parlé d'un pacte de suicide. Et Sarah connaissait bien les victimes. Même si on a passé le plus de temps possible avec elle dans les semaines qui ont précédé sa mort, on n'était pas tout le temps avec elle non plus. Elle a peut-être réussi à nous cacher à quel point la mort de ses amis l'avait affectée.

— Et les deux autres jeunes qui se seraient tués le même jour que Sarah ?

— Une coïncidence macabre, rien de plus.

Sophie secoue la tête, incapable d'accepter une telle explication. C'est au tour d'Émilie de pousser un profond soupir.

— Je ne te comprends pas. Tu es prête à accepter sans problème une explication surnaturelle qui met en cause une légende du folklore, mais tu refuses d'envisager qu'il s'agisse de quelque chose de beaucoup plus terre à terre.

Sophie voudrait argumenter avec Émilie, prouver son point, mais elle n'a que son intuition, et elle ne pense pas être capable de lui faire changer d'idée, pas dans la situation actuelle, avec ce qui s'est passé la veille. Elle décide donc de faire un geste de réconciliation :

— Tu as peut-être raison. Après tout, les créatures fantastiques ne sont pas systématiquement impliquées dans chaque incident au Québec.

— Je sais que tu as appris beaucoup de choses qui ont pu te secouer. Mais cette fois, je pense vraiment qu'il y a une explication rationnelle derrière tout ça, même si elle est extrêmement triste.

Même si elle n'est pas totalement d'accord avec ses arguments, Sophie est soulagée de voir Émilie redevenir cohérente et solide. Elle regarde discrètement sa montre. En voyant l'heure, elle sursaute et s'excuse auprès de son amie.

— Merde ! Je suis désolée, Émilie, je n'ai pas vu le temps passer ! J'ai laissé une note à ma mère avant de venir ici, et je lui ai promis que je serais de retour à temps pour le dîner. Je vais devoir y aller.

Émilie se lève et précède Sophie dans l'entrée, où elles se serrent mutuellement dans leurs bras.

— Je suis contente que tu sois venue. Tu es ma meilleure amie, ça m'aurait fait de la peine qu'on se quitte de cette manière.

Sophie sort et marche vers chez elle d'un bon pas. Ce n'est qu'au moment où elle ouvre la porte d'entrée qu'elle repense à la dernière phrase de son amie. Même si elle n'est pas rassurée par ces propos, elle s'inquiète probablement pour rien. Quand elles se verront demain, à l'école, elles pourront rire du double sens que Sophie a prêté, à tort, aux paroles d'Émilie. En entrant dans la cuisine, elle trouve sa mère en train de préparer des sandwichs et de la soupe pour le dîner. Alors qu'elle s'assoit à table, sa mère se tourne vers elle, un couteau taché de mayonnaise à la main.

— N'oublie pas que demain, j'ai rendez-vous avec une galeriste pour planifier ma prochaine exposition. Elle envoie quelqu'un de la galerie d'art avec une camionnette pour transporter les tableaux, alors je vais monter avec le transporteur. Je devrais être absente une bonne partie de la journée, mais je pense pouvoir être de retour pour le souper. De toute manière, je vais te laisser de l'argent pour te commander à manger si jamais je ne suis pas revenue à temps. Ça te va comme ça, ma chérie ?

— Pas de problème, maman. Je devrais pouvoir me débrouiller !

Une fois le dîner terminé, elle monte à sa chambre pour avancer dans ses différents travaux. La fin de l'année approche et, avec elle, les examens du ministère. Sophie a confiance de bien les réussir, mais elle veut quand même prendre de l'avance sur ce qu'elle doit remettre au début du mois de juin, afin de pouvoir ensuite se concentrer sur l'étude de ce qui sera matière à examen. Elle ne peut s'empêcher de repenser à ses cauchemars, à son intuition au sujet de la Dame blanche et à la dernière conversation qu'elle a eue avec Émilie. En fin de compte, son après-midi de travaux scolaires est moins productif qu'elle ne l'aurait souhaité.

Au souper, lorsque sa mère lui demande des nouvelles de son amie, Sophie répond de manière vague, espérant que sa mère ne remarque pas son hésitation. Après le repas, celle-ci lui propose de regarder un film, mais Sophie prétexte un coup de fatigue pour se retirer dans sa chambre. Elle se met en pyjama et s'installe au lit avec un roman, mais son attention est constamment détournée vers Émilie. Et si elle avait raison ? Si son intuition était la bonne ? La fatigue l'emporte tout de même sur ses inquiétudes, et elle s'endort rapidement.

Elle est sur le pont qui surplombe le bassin de la chute. Émilie est à côté d'elle, les yeux dans le vide. Sophie essaie de secouer son amie pour la sortir de sa transe, mais rien n'y fait. Émilie ne réagit pas davantage quand Sophie tente de la tirer vers l'extrémité du pont. Soudain, une voix féminine se fait entendre par-dessus le fracas des trombes d'eau qui se déversent dans le vide. Sophie n'entend pas les mots, mais elle est subjuguée par la douceur du ton. Elle sent toute volonté la quitter et voit du coin de l'œil qu'Émilie sourit béatement. Lorsque des mots résonnent dans sa tête, Sophie ne se pose pas de question et elle obéit. Elle aide Émilie à monter sur le parapet qui protège les promeneurs d'une chute brutale, et contemple l'eau bouillonnante en contrebas. Elle se sent en confiance, car la mystérieuse voix va lui dire quoi faire. Au bout de quelques instants, Émilie avance dans le vide et regarde la surface écumante qui se rapproche à toute vitesse, sans comprendre ce qui l'attend…

51

Sophie se réveille en sursaut, le cœur battant la chamade. Cette fois, ce n'était pas un simple cauchemar, ni même un rêve supposément prémonitoire. C'était un avertissement en bonne et due forme. Si elle poursuit dans ses tentatives de comprendre, elle fera bientôt partie des victimes. Elle frissonne en repoussant les couvertures, mais elle ne peut s'empêcher de penser qu'elle doit être sur la bonne voie, puisqu'on tente de lui faire peur. Si seulement elle avait une idée de ce qu'elle a trouvé de si important !

Comme le temps file et qu'elle n'a pas le temps de réfléchir à tout cela pour l'instant, elle se traîne à la cuisine. Elle espère que sa mère a déjà terminé son déjeuner. Malheureusement, elle la retrouve attablée avec un verre de jus d'orange. Sophie s'assoit à table et se concentre sur le bol de céréales qu'elle vient de se servir. Lorsque sa mère lui demande si elle a bien dormi, elle répond par un simple grognement. Puis, regardant l'horloge murale, elle lance :

— Dépêche-toi, tu vas être en retard !

Avec un air catastrophé, sa mère essaie d'engouffrer ses rôties, tout en terminant son jus et son café. Pendant qu'elle se précipite pour ramasser ses affaires et finir de se préparer, Sophie se sert une énorme tasse de café, à laquelle elle ajoute une généreuse quantité de crème, en plus d'y laisser tomber trois sucres. Elle sirote son breuvage chaud et sucré en essayant de se motiver pour la journée à venir. Lorsque sa mère revient dans la cuisine, elle l'embrasse et lui souhaite bonne chance.

— Laisse-moi un message sur la boîte vocale si tu as une idée de l'heure à laquelle tu rentres. Et au pire, je commanderai pour deux.

Quelques instants plus tard, Sophie se retrouve seule et se prépare à son tour, quoique plus lentement. Malgré tout, elle arrive quelques minutes avant le début des cours et s'empresse de rejoindre le casier d'Émilie, en faisant un détour pour éviter de passer devant celui de Sarah, qui n'a heureusement pas été réassigné à un autre élève, comme ceux des autres élèves décédés. Son amie n'étant pas là, Sophie décide de patienter jusqu'à la cloche, afin d'avoir une chance de parler un peu à Émilie avant leur cours de français.

Mais lorsque la sonnerie retentit, Sophie doit se rendre à l'évidence : Émilie est en retard, ou alors elle est déjà passée à son casier et elle l'attend dans la classe de madame Thouin. Mais en passant la porte du local, elle constate que son amie n'est pas encore arrivée. Nerveuse, Sophie s'installe à sa place et fixe l'entrée de la classe avec attention, espérant qu'Émilie arrive d'une minute à l'autre.

Le cours est commencé depuis une quinzaine de minutes. Sophie prétend devoir aller aux toilettes pour sortir de la classe. Une fois dans le corridor, elle se dirige rapidement vers la rangée de téléphones publics dans l'entrée de l'école. Elle insère la monnaie et compose fébrilement le numéro de son amie. Tant pis si ses parents répondent, elle leur dira tout. Mais le téléphone sonne et personne ne répond. Juste avant que la boîte vocale ne prenne le relais, Sophie raccroche, récupère sa monnaie et l'insère de nouveau avant de composer le numéro du cellulaire d'Émilie. Elle ne pense pas avoir de réponse là non plus, mais elle tient quand même à tenter sa chance. Comme elle le craignait, c'est un message automatisé qui lui répond.

Indécise, Sophie se mord la lèvre, tout en considérant ses options. Ou bien elle retourne en classe comme si de rien n'était et essaie de rappeler Émilie sur l'heure du dîner et à la fin des cours. Ou alors elle part tout de suite et se rend directement chez son amie pour la confronter. Après quelques instants de réflexion, elle revient dans son cours de français et va voir son enseignante, l'informant qu'elle ne se sent pas bien. Elle ajoute que c'est probablement à cause de quelque chose qu'elle a mangé. Compréhensive, madame Thouin la rassure et lui indique qu'elle va tout régler auprès du secrétariat. Elle lui demande ensuite si quelqu'un peut venir la chercher ou si elle est capable de rentrer à pied. Sophie retient un soupir de soulagement et se contente de sourire faiblement à sa professeure. Elle la rassure en lui disant que sa mère est à la maison et que, de toute manière, elle n'habite pas très loin.

Après les derniers conseils d'usage, son enseignante la laisse partir. Sophie marche d'un bon pas en direction de la rue Ozanam. Elle essaie de distancer les pensées qui volettent dans son esprit, avec un succès relatif. Arrivée devant le duplex, elle hésite une dernière fois, mais son inquiétude est trop forte, et elle presse le bouton de la sonnette à deux reprises.

Elle attend quelques instants, puis elle appuie de nouveau, en maintenant la pression. Elle entend clairement la sonnerie stridente dans la maison, mais lorsqu'elle retire son doigt, seul le silence lui répond.

De plus en plus nerveuse, Sophie rentre chez elle, en se retenant de courir. Parce que si elle court, ça voudrait dire qu'elle craint le pire pour son amie. Et elle n'est pas encore prête à envisager cette option. Une fois à la maison, elle récupère l'argent laissé par sa mère et appelle un taxi. Elle a beau avoir son permis d'apprentie depuis presque un an, elle ne s'est pas beaucoup exercée. Il n'est pas question qu'un policier l'arrête et lui demande des papiers qu'elle n'a pas ! Il n'y a pas de temps à perdre, et elle ne se fait pas assez confiance pour conduire elle-même.

Puis, en attendant la voiture qu'elle a demandée, elle écrit une note à sa mère, lui disant qu'elle est allée rejoindre Émilie pour travailler à un projet commun. Quelques minutes plus tard, une voiture avec l'enseigne de Taxi-Coop se gare devant chez elle. Elle monte dans la voiture et, d'une voix qu'elle veut calme et assurée, indique sa destination au chauffeur.

Le taxi se met à rouler. Sophie regarde distraitement le paysage défiler par la vitre, l'esprit tout entier tourné vers sa meilleure amie.

52

Lorsque le taxi la dépose devant la guérite principale du parc de la chute Montmorency, Sophie est tendue comme un arc. Ses épaules sont crispées, et elle serre les poings. Elle essaie de se calmer et paie le chauffeur. Mais dès que la voiture repart, elle sent ses muscles se contracter, comme si elle s'attendait à recevoir un coup. Elle lève les yeux au ciel, et elle est presque surprise de voir qu'il est au beau fixe, sans aucun nuage à l'horizon.

Elle s'approche du kiosque d'accueil pour payer son entrée. Lorsqu'elle arrive devant la petite fenêtre de la cabane, elle est étonnée de voir que celle-ci est vide. Elle hâte le pas le long du sentier qui mène au parc proprement dit, priant intérieurement une force supérieure quelconque de faire en sorte qu'elle ne soit pas trop tard. Elle ne se le pardonnerait jamais s'il fallait qu'Émilie meure aujourd'hui.

Elle marche rapidement, tout en regardant autour d'elle. Au bout de quelques instants, elle s'arrête, indécise. Elle a l'étrange impression d'être seule. Elle continue ses recherches à différents endroits du parc, mais à part le chant des oiseaux et le bruit des chutes, elle n'entend rien. Après plusieurs minutes d'exploration, elle doit se rendre à l'évidence, le parc est vide. Elle gravit le sentier du 31 juillet et se rend à la maison Wolfe, dans l'espoir d'apercevoir quelqu'un à qui elle pourrait demander de l'aide.

Là encore, tout est désert, mais la maison elle-même n'a pas l'air d'avoir été fermée pour la journée. Sophie s'approche de la porte et passe la tête à l'intérieur du bâtiment pour appeler. Seul le son de sa voix brise le silence de plus en plus oppressant. Sophie est de plus en plus inquiète, il n'y a aucune trace d'Émilie.

Elle franchit le pont de la faille en courant et passe devant le four à chaux en coup de vent, insensible à ce qui l'entoure. Tout son esprit est dirigé vers une seule pensée : elle doit rejoindre son amie avant qu'il ne soit trop tard. À mesure qu'elle s'approche du pont suspendu, le fracas des chutes augmente, noyant presque ses pensées. Elle fouille frénétiquement le pont des yeux, et lâche un cri de frustration lorsqu'elle ne voit personne. Elle s'avance encore et, cette fois, elle discerne quelque chose : quelqu'un est assis sur le parapet, au milieu du pont. Malgré les embruns et la bruine, elle reconnaît son amie, habillée avec les vêtements de la veille.

Elle court vers le pont en criant à pleins poumons le nom d'Émilie, mais c'est comme si son amie ne l'entendait pas. Celle-ci se contente de fixer le vide en se balançant les pieds. Horrifiée, Sophie a l'impression de revivre l'un de ses cauchemars. Lorsqu'elle arrive enfin aux côtés de son amie, elle la voit pousser la rambarde avec ses mains alors qu'elle incline le torse vers l'avant. Au moment où elle plonge vers la base des chutes, Sophie étire le bras et réussit de justesse à l'agripper par le collet de son chandail. Mais le poids d'Émilie l'entraîne vers la rambarde, et elle doit raffermir sa prise à deux mains, tout en plantant ses pieds dans le sol. La jeune fille, de son côté, continue à se pencher vers l'avant, sans prononcer un mot, les lèvres serrées et les yeux dans le vague. Sophie tire son amie vers l'arrière, s'encourageant de quelques sacres bien sentis, et, centimètre par centimètre, elle l'attire sur le tablier du pont, jusqu'au moment où l'adolescente tombe à la renverse et déséquilibre Sophie. Les deux amies chutent lourdement, et la tête d'Émilie produit un bruit mat en frappant le sol, ce qui fait frémir Sophie.

Elle se relève tant bien que mal et se penche vers son amie, inconsciente. Elle tend la main vers le cou d'Émilie et à son grand soulagement, elle sent son pouls. Sophie hésite à la secouer pour la réveiller, de peur qu'Émilie ait une commotion cérébrale ou encore une fracture. Elle-même vérifie son état de santé, et elle constate avec soulagement qu'à part quelques contusions, elle n'a rien. Elle s'accroupit devant Émilie et cherche le cellulaire de son amie, afin d'appeler des secours. Lorsqu'elle met la main dessus, elle compose le « 9 » et un cri perçant jaillit des chutes.

Sophie tombe à genoux en se bouchant les oreilles. Elle a l'impression que le hurlement résonne directement dans sa tête. Sonnée, Sophie se remet debout tant bien que mal et examine autour d'elle afin de déterminer l'origine de ce hurlement. En regardant au pied de la chute, elle croit voir émerger une silhouette féminine. Elle se frotte les yeux, incrédule, mais plutôt que de disparaître, l'apparition se fait plus précise. Sophie arrive à discerner les vêtements de l'étrange femme : elle porte une robe de mariée blanche, serrée à la taille par une ceinture de soie et collée à son corps par l'eau qui dégouline jusqu'à ses pieds.

L'apparition s'élève dans les airs en hurlant. Sophie se couvre de nouveau les oreilles, sans quitter la femme des yeux. Le spectre pose un pied sur le pont, à quelques mètres du corps inconscient d'Émilie. Une odeur d'ozone flotte dans l'air, rappelant le moment où la foudre frappe. Sophie détaille la jeune femme d'un peu plus près. Elle remarque les souliers tachés de boue et le visage qui aurait été beau sans le rictus de rage qui en déforme les traits. Sophie voit le paysage se profiler à travers son corps. Elle hoquette de surprise :

— Oh ! Mon Dieu ! c'est vraiment la Dame blanche !

53

En réponse à l'exclamation de Sophie, la Dame blanche la fixe d'un air mauvais et l'apostrophe d'une voix qui couvre le grondement des chutes.

— Comment as-tu osé ? Cette vie m'appartenait. Elle était à moi, tu m'entends ?

— Mais de quoi parlez-vous ? Pourquoi vous vous en êtes prise à mon amie ? Êtes-vous aussi responsable de la mort de Sarah et des autres ?

La Dame blanche secoue la tête, et ses longs cheveux blonds envoient des gouttelettes d'eau dans plusieurs directions.

— Tu as gâché mon sacrifice. Et sache, pauvre fillette, que je ne les ai pas tués. Je leur ai simplement suggéré de s'enlever la vie ici, où se trouve l'origine de mes pouvoirs. Ce n'est pas de ma faute si leur volonté était plus faible que la mienne. Et il ne me manquait que l'âme de ton amie. Comme tu as jugé bon de t'en mêler, tu vas payer de ta vie ! Ensuite, je m'occuperai d'elle.

Sophie est horrifiée par ce qu'elle vient d'entendre. Comment est-ce possible ? Elle croyait pourtant que la Dame blanche était une force positive. Son grand-père en parle en ce sens dans son journal, et toutes ses recherches confirment cette hypothèse. Il y a assurément quelque chose qui cloche. Mais avant qu'elle puisse réfléchir davantage, le spectre de Mathilde se précipite vers elle en rugissant.

Le premier réflexe de Sophie est de fuir, mais le corps inerte d'Émilie lui rappelle qu'elle devra, d'une manière ou d'une autre, venir à bout de la Dame blanche. Il le faut, si elle veut sauver sa vie et celle de son amie.

Au moment où le spectre arrive sur elle, Sophie lève les poings et s'assure de répartir son poids sur ses deux jambes afin de pouvoir résister à cette première attaque. Mais l'impact qu'elle anticipe ne se produit pas : le fantôme la traverse, sans lui causer de blessures. Elle ressent une intense sensation de froid, comme si elle avait été plongée dans une rivière glaciale. Elle se retourne en frissonnant, pour demeurer face à son ennemie. Sophie ne peut s'empêcher de penser que, si c'est la seule attaque dont dispose Mathilde, celle-ci ne représente pas une bien grande menace. Grâce au soleil de mai, le froid s'est déjà dissipé.

La Dame blanche semble décontenancée, Sophie en profite pour reprendre le contrôle de sa respiration, qui s'était affolée durant le premier assaut. Elle assiste alors à un curieux phénomène : Mathilde ferme les yeux, et le bruit des chutes augmente de volume. Nerveuse, Sophie regarde autour d'elle, en essayant d'anticiper le prochain mouvement de son adversaire. Soudain, elle voit une colonne d'eau sortir de la cuvette au pied des chutes et s'élever vers le pont. Elle recule et manque de trébucher sur la jambe d'Émilie. Sophie regarde son amie par-dessus son épaule, afin de s'assurer qu'elle n'a pas encore repris connaissance. Et lorsqu'elle reporte son attention sur la Dame blanche, elle laisse échapper une exclamation de surprise. La colonne liquide se dirige vers elle en tourbillonnant à toute vitesse, sans toutefois projeter d'eau, comme si la force centrifuge maintenait le tout sur place.

Sophie a tout juste le temps de se jeter au sol pour éviter d'être percutée par cet étrange phénomène. Lorsqu'elle se relève, elle voit la colonne retomber dans la cuvette, comme si quelqu'un avait vidé un immense seau par-dessus le pont. La Dame blanche se tient devant elle, le regard haineux. Avec une vitesse que Sophie ne pouvait pas prévoir, Mathilde se précipite de nouveau sur elle et la traverse, provoquant encore une fois cette impression de froid intense. Cette fois, le spectre reproduit son manège à plusieurs reprises, sans que Sophie pense à l'en empêcher.

54

Sophie sent ses doigts et ses orteils s'engourdir. Elle commence à souffrir d'hypothermie, alors que la température ambiante avoisine les 20 degrés Celsius ! Lorsque la Dame blanche se précipite encore une fois vers elle, la jeune fille effectue un pas de côté, laissant le spectre la dépasser. Ce court répit permet à l'adolescente de reprendre son souffle, alors que l'engourdissement se dissipe peu à peu. Furieuse, l'apparition se jette de nouveau sur Sophie. Cette fois, sans réfléchir, la jeune fille tente de la bloquer avec son avant-bras. Son bras devient immédiatement insensible. Sa peau se contracte sous l'effet du froid. Elle recule en grimaçant de douleur. Jamais elle n'arrivera à vaincre la Dame blanche au corps-à-corps. Elle ne sait même pas si elle sera capable de l'affaiblir, n'ayant pas encore trouvé de faille à exploiter. Elle doit trouver quelque chose, et vite !

Pendant que l'adolescente réfléchissait, Mathilde en a profité pour inspirer profondément. Troublée, Sophie ne sait pas à quoi s'attendre. Le spectre pousse alors un cri qui vrille les tympans de Sophie. Celle-ci s'effondre au sol, les mains sur les oreilles. Elle hurle de douleur, mais elle ne s'entend pas tant les sons produits par le fantôme sont puissants. Elle croit que ses tympans vont exploser. Lorsque le hurlement s'arrête, elle a les oreilles qui bourdonnent et l'impression d'avoir du coton dans la tête. Elle se relève tant bien que mal, mais la Dame blanche se précipite déjà vers elle, les mains recourbées en forme de serres tendues vers son cœur. Le souffle court, Sophie pivote vers la gauche, mais Mathilde atteint tout de même son bras. La douleur et le froid cuisant la font crier.

Elle recule en vacillant et aperçoit un mouvement sur le sentier Royal. Elle croit reconnaître son père, mais c'est sûrement une hallucination causée par le froid et la fatigue du combat. L'homme semble s'arrêter à bonne distance du pont, mais assez près pour voir le combat qui s'y déroule.

Sophie secoue son bras endolori tout en surveillant la Dame blanche. En la voyant se rapprocher, elle tente une nouvelle tactique. Elle se déplace discrètement vers la rambarde, jusqu'à sentir son dos s'y appuyer. Lorsque Mathilde se précipite sur elle, Sophie attend le dernier moment pour l'esquiver. Contrairement à ce qu'elle espérait, le spectre ne tombe pas dans le bassin en contrebas, mais se contente de flotter dans les airs, entre le pont et la chute. La jeune femme fantôme fixe Sophie d'un air mauvais. Elle lève les bras, puis les rabaisse comme pour lancer quelque chose. Du coin de l'œil, Sophie remarque du mouvement en provenance de la chute. Alors qu'elle se retourne, elle est percutée de plein fouet par un puissant jet issu de l'eau grondante. La force de la gerbe est telle que Sophie est projetée violemment contre la balustrade avant de tomber au sol. Une douleur aiguë irradie dans son dos et elle pousse un grognement sourd.

Sophie se relève tant bien que mal, le corps endolori par cette attaque et les vêtements complètement trempés. Elle grelotte et claque des dents, sans pouvoir s'arrêter. Elle déplace une mèche humide qui lui gêne la vue et se prépare pour le nouvel assaut de la Dame blanche. Sophie n'est pas assez rapide, et Mathilde la transperce de sa présence glaciale à plusieurs reprises, la forçant à reculer de plus en plus.

Lorsqu'elle sent le gravier du sentier sous ses pas, Sophie tente de se déporter vers la droite. Mathilde anticipe son mouvement et bloque sa retraite. En essayant de contourner le spectre, Sophie sent son talon glisser dans l'herbe et elle tombe vers l'arrière. Sa chute est de courte durée, mais la réception est brutale, puisqu'elle atterrit sur des rochers qui affleurent au bord du pont.

Elle se reçoit sur son côté gauche et l'air est expulsé de ses poumons. Elle voit son père, qui est vraiment là après tout, s'approcher du pont. Il semble sur le point d'intervenir, mais il secoue la tête et recule d'un pas. Il observe Sophie et la Dame blanche avec une attention soutenue. À bout de souffle, Sophie serre les dents pour tenter de faire refouler la douleur, sans trop y parvenir. Alors que l'adolescente se relève péniblement, la Dame blanche descend du pont et se dirige vers les rochers. Sophie commence à reculer, mais s'arrête, devinant le vide dans son dos. Mathilde la fixe d'un air satisfait et s'approche d'une démarche lente, délibérée. Sophie est terrifiée : la Dame blanche veut la faire tomber dans la chute.

55

Sophie doit gagner du temps, faire parler la Dame blanche. C'est le seul moyen de trouver une manière de la vaincre. Sophie prend donc son courage à deux mains et interpelle la femme d'une voix mal assurée.

— Pourquoi un sacrifice ? Et en quoi la vie de mon amie vous appartenait-elle ?

Le spectre de Mathilde s'arrête et fixe Sophie sans ciller. Celle-ci tente de demeurer immobile sous le regard scrutateur du fantôme, malgré ses tremblements causés par le froid. Elle espère que le spectre va daigner lui répondre plutôt que de la précipiter dans le vide. Après un long moment, la Dame blanche prend la parole.

— On m'a offert ce que je désire plus que tout si je fournissais des âmes sans défense.

— Mais quel est le lien avec les jeunes qui sont décédés ici, et avec Émilie ?

— C'était le moyen le plus facile d'obtenir ce dont j'avais besoin. Lorsque ces enfants sont venus sur ce pont, qui se trouve juste au-dessus de ma tombe, j'ai pu les ensorceler et les inciter à se suicider ici. Comme je n'avais jamais tenté une chose pareille, le processus a été plus long que je le pensais. Mais je suis finalement parvenue à mes fins. Il ne me manque qu'une dernière âme. Et grâce à ton intervention, j'en aurai deux à offrir en échange de ce qu'on m'a promis !

Sophie tente de surmonter sa peur, la douleur qui irradie toujours de son dos et le froid qui la glace jusqu'aux os pour réfléchir à ce que la Dame blanche vient de lui dire. Quelque chose la dérange, et elle décide de tirer le tout au clair.

— Mais pourquoi inciter ces jeunes à se suicider ? Pourquoi ne pas les avoir tués directement ?

Mathilde rit doucement et secoue la tête en regardant Sophie.

— Ma pauvre enfant, tu ne le sais donc pas ? Toute personne qui met fin à ses jours n'a pas le droit d'être enterrée en terre consacrée. Cela laisse son âme sans la protection divine qui lui serait accordée si elle avait pu avoir droit aux derniers rites chrétiens.

Cette fois, un souvenir remonte à la surface de l'esprit de Sophie. Le feu follet. Son grand-père dans le feu follet. La malédiction ! Aurait-elle trouvé la clé de l'énigme ? Il n'y a qu'un moyen d'en être sûre.

— Vous travaillez pour le Diable, c'est ça ? C'est lui qui vous a demandé de récolter des âmes pour les lui remettre ?

Sophie observe la Dame blanche et voit le doute dans ses yeux bleu pâle.

— Rien de ce que tu pourras dire ne changera ton sort. Ni celui de ton amie, d'ailleurs, ajoute-t-elle en jetant un regard possessif à Émilie, toujours étendue, inconsciente, sur le pont.

Sophie frissonne, mais elle refuse de laisser tomber la conversation avant d'avoir tous les éléments en mains.

— Qu'est-ce que le Diable vous a promis de si précieux pour que vous en soyez venue à collecter des âmes pour lui ?

Dans un éclair de lucidité, elle comprend. Comme la Dame blanche s'est suicidée, son âme ne peut aller au paradis. Elle est donc une cible facile pour le Diable... et ce, depuis fort longtemps. Sans attendre la réponse de Mathilde, Sophie reprend.

— C'est votre salut, n'est-ce pas ? Il vous a dit qu'il vous rendrait votre liberté en échange d'autres âmes innocentes ?

Le spectre frissonne, et Sophie sait qu'elle a vu juste. La Dame blanche poursuit, d'un ton larmoyant :

— Il est venu me voir il y a plusieurs mois. Au début de l'automne, en fait. Et il m'a dit qu'il avait le pouvoir de me rendre enfin ma liberté, de me permettre de rejoindre mon Louis pour l'éternité. À condition que je lui rende un service. J'étais désespérée. Ça fait tant d'années que je cherche mon fiancé, je n'ai pas eu d'autre choix.

Sophie sent les larmes lui monter aux yeux devant une injustice si cruelle. Elle s'apprête à répondre à Mathilde, mais celle-ci lui coupe brusquement la parole. Son ton est devenu tranchant.

— Mais assez parlé, maintenant. Je t'ai dit ce que tu voulais savoir. Maintenant, je vais me débarrasser de toi, puis je m'occuperai de ton amie. Et quand ce sera fait, le Diable me permettra enfin de retrouver mon Louis et de passer le reste de l'éternité avec lui.

Un sourire cruel aux lèvres, elle s'avance vers Sophie. Celle-ci voudrait reculer, mais elle se souvient qu'elle est acculée au vide. Elle ne peut que regarder la Dame blanche s'avancer vers elle. Lorsque

Mathilde l'enveloppe, provoquant une sensation d'engourdissement immédiat, Sophie fait un dernier effort de réflexion pour tenter de trouver une faille dans le raisonnement du spectre. Alors que des points noirs dansent devant ses yeux et qu'elle est sur le point de se laisser aller au sommeil qui s'empare de ses membres, elle trouve enfin ce qu'elle cherche.

— Mensonge, affirme-t-elle dans un murmure rauque, pratiquement inaudible par-dessus le bruit des chutes.

— Comment ? Que dis-tu ? demande Mathilde.

Sophie tente d'inspirer profondément, mais l'air passe difficilement entre ses lèvres bleuies par le froid. Malgré tout, elle répète ce qu'elle vient de dire, en essayant de hausser le ton pour se faire comprendre.

— Mensonge !

Sophie est sur le point de sombrer dans l'inconscience lorsque la sensation d'engourdissement disparaît soudainement. Lorsqu'elle parvient à se réchauffer et à lutter contre les frissons qui l'assaillent, elle voit Mathilde qui a reculé de quelques pas et la regarde d'un air songeur.

— De quelles faussetés parles-tu ? demande le spectre d'un ton glacial. J'ose espérer qu'il ne s'agit pas d'une autre ruse de ta part, parce que j'en ai plus qu'assez, et il me tarde d'en finir avec toi et ton amie, et de pouvoir enfin revoir mon Louis adoré.

56

Sophie frotte ses bras couverts de chair de poule et tente de remettre de l'ordre dans ses pensées. Elle sait qu'elle a une seule chance de faire entendre raison à la Dame blanche. Si elle ne parvient pas à convaincre Mathilde, elle mourra, et Émilie avec elle. C'est donc d'un ton sans réplique qu'elle répond au spectre qui lui fait face.

— On vous a menti. Le Diable s'est non seulement servi de vous, mais il n'a pas l'intention d'honorer sa part du marché.

Cette fois, c'est de la colère que Sophie voit passer dans le regard de la mariée. Celle-ci s'approche d'un pas. Sophie recule instinctivement, serrant ses bras contre son corps. Mais la Dame blanche s'arrête à une distance raisonnable et se contente de la fixer droit dans les yeux.

— As-tu des preuves de ce que tu avances ?

Sophie inspire profondément. Si elle s'est trompée, Émilie et elle en paieront le prix.

— Qui vous dit que le Diable a bien l'intention de vous libérer, une fois que vous aurez accompli votre funeste besogne ?

Sophie relève la tête et fixe Mathilde dans les yeux avant de poursuivre.

— Après tout, il est le père du mensonge. Et pourquoi vous libérerait-il maintenant, alors qu'il a eu des décennies pour le faire ?

Cette fois, Mathilde répond en bégayant :

— Je… je n'en sais rien. Il avait l'air si sincère, tellement soucieux de me redonner mon âme !

Sophie se permet un soupir de soulagement. Puis, avec un sourire compatissant, elle se rapproche de la Dame blanche.

— Je cherche moi-même à libérer l'âme de mon grand-père, prisonnière du Diable. Si vous me laissez la vie sauve, je vous promets de retrouver la vôtre également.

Le visage de Mathilde s'assombrit, comme si elle ne voulait pas croire la jeune fille. Sophie décide de porter le coup fatal.

— Vous ne perdez rien à nous épargner, mon amie et moi. Si je réussis, votre âme sera libre, et vous pourrez enfin rejoindre votre fiancé. Si j'échoue, c'est la mienne qui tombera entre les mains du Diable. Vous pourrez alors prétendre que c'est grâce à vous, et qui sait s'il ne tiendra pas parole ? Vous gagnez, peu importe ce qui se passe.

Alors que Sophie termine sa phrase, la Dame blanche laisse échapper un cri déchirant, mais qui n'a pas la puissance destructrice de ses hurlements précédents. Mathilde affronte Sophie du regard.

— Tu l'as dit toi-même, je n'ai rien à perdre. Allez, et ne perds pas de temps ! Ma patience n'est pas illimitée, et je saurai bien te retrouver si tu manques à ta parole. Tu sais ce qui t'attend dans ce cas.

Sophie pense à Sarah, ainsi qu'aux quatre autres adolescents qui sont morts ici. Elle acquiesce en tremblant. Elle n'en est que plus résolue à traquer le Diable pour l'obliger à libérer l'âme de son grand-père, qu'il détient prisonnière, ainsi que celle de Mathilde, pour qu'il n'ait plus jamais d'emprise sur elle. Sophie n'a aucune idée de la manière dont elle s'y prendra, mais elle est déterminée à y parvenir. La menace de Mathilde ne fait que renforcer la volonté de l'adolescente.

Lorsqu'elle tourne son attention vers la Dame blanche, celle-ci disparaît dans les embruns de la chute.

Pendant ce temps, le père de Sophie s'approche lentement du pont.

Sophie escalade tant bien que mal les rochers qui mènent vers le sentier, essayant de ne pas porter attention aux élancements de son dos.

Une fois sur le pont, elle se précipite vers Émilie, qui cligne des yeux dans le soleil, avant de regarder son amie d'un air interrogateur.

— Sophie ? Où est-ce qu'on est ? Et pourquoi tu es trempée ?

Soulagée, l'adolescente éclate de rire, puis s'assoit maladroitement à côté de son amie, avant de l'entourer de son bras.

— C'est une longue histoire ! Tu peux me dire de quoi tu te souviens ?

— Euh… de pas grand-chose depuis les deux derniers jours. Que s'est-il passé ?

Sophie entreprend de raconter les événements des quarante-huit dernières heures à son amie. Son récit est entrecoupé des exclamations surprises, horrifiées ou gênées d'Émilie. Quelques minutes plus tard, Émilie regarde Sophie droit dans les yeux.

— Tu m'as sauvé la vie.

— Bah, tu aurais fait la même chose pour moi, non ?

— Peut-être, mais je serais morte si tu ne t'en étais pas mêlée. Je ne sais pas comment je pourrai te le rendre un jour.

Les deux amies tombent dans les bras l'une de l'autre. Émilie grimace quand les vêtements trempés de Sophie se collent contre elle.

— Beurk ! T'aurais pas pu penser à prendre des rechanges avant de venir me sauver la vie ?

Sophie pouffe de rire.

— Tu ne trouves pas que tu exagères un peu ?

— Si tu veux jouer à la *Buffy* de Limoilou, il faut que tu sois à la hauteur !

Sophie roule exagérément des yeux, avant de donner un coup de coude dans les côtes de son amie.

— Bon, assez bavardé. Je pense qu'il est temps de rentrer à la maison. Je ne sais pas où étaient tes parents ce matin, mais je ne voudrais pas qu'ils s'inquiètent pour toi.

— Oh, ne t'en fais pas avec ça ! Ils doivent penser que je suis avec toi, comme d'habitude.

Sophie se lève et s'étire, pour tenter de faire passer la douleur qui subsiste encore dans son dos. Elle tend ensuite la main à Émilie pour l'aider à se relever.

Lorsque les deux amies atteignent le sentier, à l'extrémité du pont, un toussotement les fait sursauter. Sophie regarde autour d'elle, prête à se défendre. Lorsqu'elle aperçoit son père, qui les regarde d'un air moqueur, elle ouvre la bouche, mais aucun son n'en sort. Émilie est plus prompte à réagir.

— Ah, bonjour, monsieur Lecours ! Que faites-vous ici ?

— Sophie m'a appelé quand elle était en route pour venir ici. Elle m'a dit que vous auriez besoin de moi. Comme j'étais à Québec, je me suis dépêché de venir vous rejoindre.

Sophie est sur le point d'intervenir, mais son père la regarde et secoue légèrement la tête. Confuse, elle retient ses commentaires et laisse Émilie discuter avec lui.

— Puisque vous êtes là, ça vous dérangerait beaucoup de me reconduire à la maison ? Je ne voudrais pas que mes parents s'inquiètent, même s'ils doivent croire que je suis avec Sophie. Ce qui, à bien y penser, est effectivement une raison de paniquer.

Sophie envoie un coup de coude dans les côtes de son amie pour la faire taire, mais celle-ci se contente de rire.

— Oh, et il va bien falloir que Sophie change de vêtements, elle risque d'attraper un rhume !

Le père de Sophie ne dit rien, mais leur fait signe de le suivre en souriant.

57

Au bout de quelques minutes de marche, ils sont de retour à l'entrée du parc. Une fois dans la voiture de son père, Sophie augmente le chauffage au maximum, malgré les protestations d'Émilie. Le trajet se déroule en silence jusqu'à ce qu'Émilie descende de la voiture et leur fasse un signe de la main une fois la porte de sa maison ouverte. Juste avant d'entrer, elle mime un appel téléphonique en pointant Sophie, qui hoche la tête pour montrer qu'elle a compris. Une fois son amie en sécurité à l'intérieur, Sophie se retourne et fixe son père. Celui-ci lui renvoie son regard sans la moindre trace de gêne.

La jeune fille finit par perdre patience et rompt le silence qui règne dans la voiture.

— Tu veux bien m'expliquer ce que tu faisais là ? Comment as-tu su que j'y serais ? Et depuis combien de temps tu m'observais ?

Son père pousse un profond soupir avant de répondre.

— Je m'excuse, Sophie. Je sais que je te dois des explications, et tu les auras. Pour l'instant, peux-tu laisser un message à ta mère pour lui dire que je suis venu te chercher après l'école pour te faire une surprise ? Je ne voudrais pas qu'elle s'inquiète.

Il lui tend son téléphone. Sophie le saisit d'un geste brusque. Elle frissonne encore dans ses vêtements mouillés. Malgré l'air chaud qui continue de se déverser dans la voiture, elle a du mal à composer son numéro. Elle y parvient après quelques efforts ; lorsque la boîte vocale se fait entendre, elle laisse un bref message à sa mère. Puis elle raccroche et redonne le téléphone à son père, sans le regarder.

Celui-ci soupire de nouveau et reprend la route. Au bout de quelques minutes, Sophie n'en peut plus.

— Tu peux au moins me dire où on va ?

— Retrouver des amis. Ils tiennent absolument à te parler.

— Tu parles de la Confrérie, c'est ça ?

Son père éclate de rire.

— Je les avais prévenus que tu trouverais des réponses par toi-même, mais ils ne voulaient rien entendre.

— Depuis quand en fais-tu partie ? C'est grand-papa qui t'a recruté ?

Cette fois, il secoue la tête en souriant.

— Non, ce n'est pas lui, mais disons qu'il m'a aidé à faire ma place. Pour le reste, je ne peux rien te dire pour l'instant, du moins, tant que tu n'auras pas parlé à Thomas.

Sophie réfléchit quelques instants. Lorsqu'elle reprend la parole, sa voix est à peine audible.

— Tu aurais laissé la Dame blanche me tuer ? Je t'ai vu du coin de l'œil pendant que je me battais pour ma vie. Tu ne semblais pas pressé d'intervenir !

Son père est silencieux pendant si longtemps que Sophie croit qu'il ne lui répondra pas. Puis, il donne un violent coup de poing sur le volant.

— Bien sûr que non ! Tu es ma fille ! J'aurais tout fait pour te sauver, même si ça gâchait ton fichu rituel d'initiation. Mais tu as réussi, haut la main, en plus. Je suis fier de toi.

Sophie prend le temps de digérer ces nouvelles informations. Ainsi, le combat contre la Dame blanche faisait partie d'un plan établi. Cela explique sans doute les indices laissés par Pierre dans le livre sur le Diable. On s'est assuré de l'orienter dans la bonne direction. Elle a fait le reste toute seule. Et elle a failli en mourir. Tout ça pour quoi ? Pour prouver sa valeur aux membres d'une société secrète dont elle ignore presque tout ? D'accord, son grand-père en faisait partie. Et son père serait, selon toute vraisemblance, lui aussi membre de la Confrérie. Mais elle ne parvient pas à leur accorder sa confiance sans en savoir plus.

Elle ne sait plus quoi penser, et elle espère que sa rencontre avec les membres de la Confrérie lui apportera des réponses. Elle en a besoin. Elle ne peut plus continuer à avancer à tâtons dans ses recherches, sans savoir ce qui est important et ce qu'il ne l'est pas.

Le reste du trajet se fait en silence. Lorsque son père arrête la voiture devant une maison cossue du quartier Sillery, Sophie se retourne vers lui avec un air interrogateur.

— Nous l'avons louée expressément pour cette rencontre. Allez, dépêche-toi, il y a des vêtements secs qui t'attendent à l'intérieur. Tout le monde est impatient de te rencontrer.

Sophie sort de la voiture et regarde autour d'elle, comme pour s'imprégner de la banalité de la rue sur laquelle est située leur destination. Puis elle prend une profonde inspiration, expire lentement et, aux côtés de son père, elle gravit les marches qui mènent à la porte d'entrée.

58

Le père de Sophie la précède dans un vestibule, qui s'ouvre sur un grand salon. Une odeur de café et de pain frais flotte dans l'air. Lorsque Sophie entend son estomac gronder, elle prend conscience qu'elle n'a pas mangé depuis le déjeuner. Elle entend des voix qui proviennent d'une pièce voisine. Son père la dirige vers une chambre située à gauche de l'entrée. Sur le lit se trouvent des vêtements de rechange à sa taille, à côté d'une pile de serviettes épaisses. Lorsqu'elle regarde son père d'un air interrogateur, celui-ci se contente de hausser les épaules en souriant, avant de quitter la pièce en fermant la porte derrière lui. Sophie profite de ces quelques instants d'intimité et de tranquillité pour se sécher et se changer. Une fois plus à l'aise, elle prend le temps de remettre ses idées en place avant de rejoindre son père. Elle se doute qu'elle n'aura pas l'occasion de le faire avant longtemps, et elle en a besoin. Surtout après les dernières heures.

Sa discussion avec la Dame blanche lui a permis de comprendre que c'est le Diable qui la manipulait, et qui est donc responsable de la mort des cinq adolescents. C'est aussi lui qui retient l'âme de son grand-père captive, en raison d'une malédiction familiale qu'elle n'a pas encore totalement comprise. Mais ces faits sont-ils liés entre eux ? Et si c'est le cas, de quelle manière ? Sophie ne peut s'empêcher de croire qu'il y a un plan plus vaste qu'elle n'est pas encore en mesure de saisir. Il lui manque trop d'éléments pour pouvoir le comprendre.

Ce qui l'amène à la Confrérie. Son grand-père en faisait partie ; son journal est en quelque sorte un témoignage de son appartenance au groupe. Elle sait maintenant avec certitude que son père est lui aussi un membre de cette mystérieuse organisation. Elle ignore toutefois la relation qui lie les deux hommes et la manière dont ils ont été « recrutés ». Il faudra qu'elle en parle avec son père quand elle sera seule avec lui. En attendant, elle espère être en mesure d'en apprendre davantage sur la Confrérie, ne serait-ce que pour savoir pourquoi l'énigmatique Thomas a jugé bon de la faire surveiller, par quelqu'un d'autre que son père, qui plus est.

Rassurée par les informations qu'elle a en sa possession et déterminée à trouver d'autres pièces du casse-tête, elle sort de la chambre et fait signe à son père qu'elle est prête pour la suite. Celui-ci la conduit dans une vaste salle à manger, éclairée par un puits de lumière. Au milieu de la pièce trône une grande table en chêne, sur laquelle sont posés une assiette contenant ce qui ressemble à de la banique et de petits pots de confiture, ainsi qu'une cafetière pleine de café fumant. Plusieurs personnes y sont attablées.

Son père s'avance et lui pose une main protectrice sur l'épaule, avant de faire les présentations. Il pointe Pierre, que Sophie a reconnu tout de suite :

— Si je ne me trompe pas, vous vous êtes déjà rencontrés, alors je vais m'abstenir de le présenter. Je dirai simplement qu'il est notre seul Bouton, mais il est promis à de grandes choses.

Le jeune homme regarde Sophie avec un immense sourire satisfait, avant de lui faire un clin d'œil. Elle roule des yeux, avant de tourner son attention vers la femme à la chevelure brune parsemée de gris assise à côté de Pierre. Son père fait un geste vers elle :

— Voici Pauline, la Déterreuse. Elle s'occupe de notre bibliothèque et de nos archives.

La femme salue Sophie de la tête et lui sourit chaleureusement. Sophie ne répond pas, mais elle fait un petit signe de la main à la bibliothécaire. Puis son père pointe un homme vêtu d'une chemise noire et d'un col romain, assis en face de Pauline. Sophie le reconnaît, c'est le prêtre qui semblait suivre son groupe lors de la visite de la basilique Sainte-Anne-de-Beaupré.

— Je te présente le père Bergeron. C'est notre Berger, et il est spécialisé dans les créatures du folklore religieux.

Les yeux bruns du père semblent remplis d'une joie malicieuse lorsqu'il incline la tête dans la direction de Sophie, qui lui rend son salut avec un peu plus d'aplomb. Son père indique ensuite l'autre femme, placée à la droite du père Bergeron. Ses tresses noires sont ornées de billes de bois colorées et de quelques plumes. Là encore, Sophie sait où elle l'a déjà croisée. La femme était présente au village huron et semblait elle aussi porter une attention particulière à son groupe.

— Voici Natasha Saganash, qui est Handesonk, ce qui signifie « épervier », en huron. Elle est spécialisée dans le folklore amérindien.

La femme se lève et prend Sophie dans ses bras. Surprise, l'adolescente ne sait pas comment réagir. Au bout de quelques instants, Natasha relâche son étreinte et retourne s'asseoir. Puis, le père de Sophie désigne le dernier membre du groupe, sans toutefois le nommer. Celui-ci se lève, et s'approche de la jeune fille, qui recule d'un pas en constatant que l'homme la dépasse de plusieurs centimètres, mais elle sent son père derrière elle. Elle s'oblige à rester sur place et à affronter le regard franc que l'homme lui lance. Il a des yeux d'un vert saisissant, et Sophie a du mal à en détacher le regard. Lorsqu'il parle, sa voix est chaude et rassurante :

— Bonjour, Sophie, je suis Thomas. Je suis le Grand Veneur de la Confrérie. C'est moi qui m'occupe de la gestion de nos affaires courantes, ainsi que de l'accueil de nouveaux membres, ajoute-t-il en regardant Sophie, un sourcil levé. J'imagine que tu as de nombreuses interrogations ? Ça tombe bien, nous avons des réponses. Par contre, nous avons nous aussi quelques questions à te poser. Nous te serions reconnaissants si tu voulais bien collaborer avec nous.

59

Avant que Sophie puisse répondre, Thomas lui avance une chaise et lui fait signe de s'asseoir. L'adolescente le remercie d'un signe de tête. Elle prend quelques instants pour ordonner ses pensées. Après un bref coup d'œil à son père, elle pose sa première question :

— Qui êtes-vous, exactement ?

Thomas englobe les autres personnes assises autour de la table d'un large geste des bras.

— Nous sommes la Confrérie des chasseurs de légendes. Notre but est d'observer et d'étudier les créatures du folklore avec lesquelles nous entrons en contact. Lorsque c'est nécessaire, nous pouvons également intervenir pour relocaliser une créature et, dans des cas extrêmes, l'éliminer.

Sophie repense à certaines entrées du journal de son grand-père, et un frisson lui parcourt la colonne. Son père, qui s'est approché, lui met une main protectrice sur l'épaule et serre doucement les doigts. Sophie lève la tête et lui sourit, avant de reporter son attention vers Thomas.

— J'ai reconnu certains d'entre vous, que j'ai déjà croisés à une occasion. Et Pierre est intervenu à plusieurs reprises pour me parler. Pourquoi vous me suiviez ainsi ?

Thomas fronce les sourcils, comme s'il tentait de trouver la meilleure manière de répondre.

— D'abord, pour ta sécurité. Nous savons que les créatures sont plus agitées depuis quelques mois, mais nous ne savons pas pourquoi. Nous avions peur qu'il t'arrive quelque chose. Mais c'est aussi parce que nous nous intéressons à toi, particulièrement depuis le décès de Laurier.

Sophie pince les lèvres à l'évocation de son grand-père. Puis, elle repense à ce que Thomas vient de lui dire. Elle s'efforce de masquer son sourire lorsqu'elle comprend qu'elle a une longueur d'avance sur la Confrérie. Ses cauchemars lui reviennent en mémoire. Elle comprend maintenant que, à chaque fois, le Diable tentait de convaincre – ou de forcer – des créatures magiques à créer de l'agitation. Elle ne sait pas encore dans quel but, mais elle est convaincue que Thomas serait très intéressé par ce qu'elle sait. Elle décide de garder cette information en réserve, au cas où.

— Étiez-vous au courant pour la Dame blanche ? Pourquoi n'êtes-vous pas intervenus ?

Thomas éclate de rire et lève les mains dans les airs pour lui faire signe de ralentir.

— Oui, nous savions qu'elle n'était pas dans son état normal. Nous étions aussi conscients qu'elle avait ensorcelé des jeunes pour les obliger à se suicider. Mais nous avions besoin de savoir qui était derrière ce brusque changement d'attitude. C'est pour ça qu'avec l'aide de Pierre nous t'avons mise sur la piste de Mathilde. Ton père était convaincu que tu allais réussir cette mission. Et nous avions besoin de savoir si tu étais capable de te défendre. C'est pour ça que ton père n'est pas intervenu.

Sophie sent la colère l'envahir.

— Donc, c'était une espèce de test ! Vous vouliez voir si j'allais m'en sortir ?

Thomas secoue la tête, visiblement mal à l'aise.

— Oui, c'en était un, mais nous ne t'aurions pas laissée l'échouer. Ton père a insisté pour être présent au moment de la confrontation. J'ai décidé de lui faire confiance.

Elle regarde son père et lui adresse un sourire reconnaissant. Celui-ci lui retourne son sourire et s'assoit sur une chaise qu'il place légèrement en retrait de la table. Sophie retourne son attention vers Thomas.

— Quand je suis arrivée, le parc était complètement désert. Il n'y avait ni employés ni visiteurs. C'est vous qui avez fait ça ?

Thomas secoue la tête :

— Absolument pas ! Nous croyons que la Dame blanche usait de sa magie pour s'assurer de pouvoir s'occuper de ses victimes en paix.

Sophie hoche la tête, satisfaite de l'explication.

— Je n'ai plus de questions pour l'instant. Vous pouvez poser les vôtres.

Thomas la regarde avec attention.

— Qu'as-tu ressenti quand tu t'es battue contre la Dame blanche ?

Sophie fronce les sourcils, incertaine de la réponse à donner. Puis, elle décide que l'honnêteté est la meilleure option.

— J'étais terrifiée. Je ne pensais pas du tout être en mesure de la vaincre. J'étais convaincue que j'allais mourir, et Émilie aussi.

— Pourtant, tu as eu le courage de l'affronter, malgré les minces chances de succès. Et tu as démontré une connaissance approfondie de l'histoire de la Dame blanche. Bref, tu t'en es admirablement bien tirée.

Sophie rougit jusqu'à la racine des cheveux et se contente de hausser les épaules, pour minimiser le compliment.

60

Sophie regarde longuement Thomas et le reste du groupe, essayant de jauger si ces gens sont dignes de confiance. De toute manière, eux aussi auront besoin d'elle, même s'ils ne le savent pas encore.

— Je dois vous dire quelque chose à mon sujet, mais aussi à propos de mon grand-père.

Le groupe la regarde, totalement silencieux, dans l'attente de ce qu'elle va leur annoncer.

— À sa mort, il m'a laissé son journal, où il consignait tout ce qui a trait à sa participation à la Confrérie. Il y mentionne, peu de temps avant son décès, avoir découvert que quelque chose d'énorme est sur le point de se produire, à la grandeur du Québec, et que ça concerne l'ensemble des créatures fantastiques. Mais il n'en dit pas davantage.

Thomas hoche la tête, comme s'il était déjà au courant de ces éléments. Sophie hésite à poursuivre, mais elle s'est trop avancée pour arrêter maintenant. Elle respire profondément et lâche sa bombe :

— Notre famille est victime d'une malédiction, et mon grand-père a aussi consigné ses recherches à ce sujet dans son journal. Et je suis convaincue qu'en ce moment le Diable garde son âme prisonnière.

Le silence est rompu par une exclamation de surprise collective de la part du groupe. Thomas leur fait signe de se calmer, puis il se tourne vers Sophie et l'encourage à continuer.

— Malheureusement, il n'a pas trouvé le moyen de nous libérer de cette malédiction. Je pense que sa mort est liée aux perturbations de la population des créatures fantastiques.

Le père Bergeron hoche la tête. Il regarde Sophie avec compassion, avant de prendre la parole.

— Si ce que tu dis est vrai, nous allons tout faire pour t'aider.

Sophie est soulagée que quelqu'un la croie enfin. Elle décide alors de leur dire tout ce qu'elle a découvert.

— Je sais que ça semble insensé, mais j'ai des raisons de croire que le Diable est derrière tout ça. C'est lui qui a provoqué les comportements erratiques des créatures issues du folklore. Je ne sais pas encore pourquoi, mais ce qui est clair, c'est qu'il a un plan plus large en tête. Il pourrait mettre le Québec et le monde entier en danger si nous ne l'arrêtons pas.

Avant que Sophie puisse poursuivre, son père l'interrompt d'un ton incrédule.

— Nous ? Je peux savoir ce que tu as en tête, Sophie Picard ?

Elle soutient son regard sans flancher et, au bout de quelques instants, c'est lui qui baisse les yeux en soupirant.

— Oui, nous. Ce n'est pas pour rien que grand-papa m'a légué son journal et sa collection de statues. Et pourquoi penses-tu qu'il m'a aussi laissé l'usufruit de sa maison ? Il voulait qu'elle serve à la Confrérie. Il souhaitait que je vous aide. De toute manière, je n'arriverai pas à lever la malédiction familiale toute seule. J'aurai besoin de vous. Vois ça comme un partenariat.

Son père secoue la tête, incrédule, et laisse Thomas poursuivre.

— Tu es consciente que le chemin que tu veux emprunter est dangereux ? Si nous décidons de nous attaquer au Diable, qui sait ce qui pourrait nous arriver ? Mais je suis d'accord avec toi. Nous devons travailler ensemble.

Sophie laisse échapper un soupir de soulagement. Elle ne croyait pas parvenir à les convaincre aussi facilement. D'un autre côté, elle se doute bien que ce qui l'attend n'est pas une partie de plaisir. De toute manière, elle n'a pas vraiment le choix. Elle refuse de passer le reste de ses jours à redouter la malédiction familiale. Et après tout, elle a fait une promesse à son grand-père, ainsi qu'à Mathilde, et elle compte bien la tenir.

Lorsque Thomas signale la fin de la rencontre, les autres membres de la Confrérie quittent tranquillement la salle à manger, en prenant soin de saluer Sophie une dernière fois. Alors que son père se lève à son tour, l'adolescente lui fait signe de patienter. Elle attend que tout le monde soit dans l'entrée pour s'approcher de lui.

— Il faut qu'on parle de grand-papa.

— Ah… et pourquoi ?

— Parce qu'il n'est pas mort dans un accident de chasse.

— Qu'est-ce qui te fait croire ça ?

Sophie inspire profondément pour se donner du courage. Puis elle fixe son père dans les yeux avant de lui révéler son secret.

— Je vois des choses dans mes rêves. Parfois, ce sont des événements qui ne sont pas encore arrivés, mais d'autres fois, ce sont des fragments du passé.

— Tu es certaine de ce que tu dis ?

— Écoute, papa, j'ai rêvé à la mort de Sarah, et c'était la Dame blanche qui en était responsable. Et c'est exactement ce qui s'est produit.

— Je veux bien te croire dans ce cas-ci. J'imagine que si tu veux parler de Laurier, c'est que tu as eu des révélations à son sujet ?

Sophie déglutit nerveusement.

— J'ai fait un rêve où j'ai vu un membre de la Confrérie pactiser avec le Diable. Je ne sais pas de qui il s'agit, mais cette personne devait observer grand-papa et l'éliminer s'il découvrait des éléments compromettants. Et je pense que c'est exactement ce qui s'est produit.

Cette fois, c'est son père qui garde le silence durant quelques instants. Il regarde la jeune fille comme s'il tentait de la jauger. Puis il secoue la tête et reprend la parole.

— Je crois que tu as raison, à propos de la mort de ton grand-père. Ça fait plusieurs semaines que j'ai des doutes au sujet d'un traître. Tes propres soupçons confirment ce que je craignais.

Sophie frissonne à l'idée de s'être trouvée dans la même pièce qu'un assassin. Elle regarde son père d'un air anxieux.

— Et qu'est-ce qu'on fait, maintenant ?

Il lui place les mains sur les épaules, dans une attitude protectrice qui rassure la jeune fille.

— On démasque le traître avant qu'il ne cause davantage de dégâts.

Sophie hoche la tête. Étourdie devant l'ampleur de sa mission, elle est soulagée de pouvoir compter sur son père pour la soutenir. Soudain, un doute l'assaille. Peut-elle vraiment lui faire confiance ?

ÉPILOGUE

Le soleil se couche sur Sainte-Geneviève-de-Batiscan, et le calvaire de la Rivière-à-Veillet semble éclaboussé de sang dans la lumière déclinante. L'homme au manteau de castor est appuyé de manière décontractée sur la rambarde qui entoure le sanctuaire. Il semble attendre quelqu'un… ou quelque chose.

Après quelques minutes, il se dirige au centre de la construction, tourne le dos au Christ sur sa croix et lance d'une voix forte :

— Montre-toi, cher ami. Il faut que je te parle.

Seul le silence lui répond. Il pousse un grognement d'impatience et, le ton lourd de menaces, ajoute :

— Ne m'oblige pas à t'invoquer formellement, je pourrais être beaucoup moins gentil que la dernière fois. Allez, je sais que tu es là. Ne me fais pas perdre mon temps.

Il a à peine terminé sa phrase que le Diable apparaît, dans un nuage de soufre et un tourbillon de flammes qui ne roussit même pas le bois blanc du calvaire. D'un air mauvais, il fixe celui qui l'a appelé en ce lieu saint.

L'homme au manteau secoue la tête.

— Merci de ta coopération, elle est toujours appréciée. Cela étant dit, j'ai cru comprendre que les choses ne s'étaient pas déroulées exactement comme prévu. Je me trompe ?

Le Diable grimace et frappe du pied, produisant des étincelles sur le sol de bois.

— Tu sais très bien ce qui s'est passé. Je ne suis pas d'humeur à jouer.

— Oh, mais je veux l'entendre de ta propre bouche ! Qui sait, je me trompe peut-être. Fais-moi plaisir, ajoute son interlocuteur, avec un sourire carnassier.

— La Dame blanche a échoué ou, du moins, elle n'a pas complètement rempli sa part de notre contrat. Je ne sais pas ce qui s'est produit, mais la fille est toujours en vie.

L'inconnu claque la langue contre ses dents en signe de contrariété. Il tourne le dos au Diable, comme si celui-ci n'était plus important. Puis, sans se retourner, il lance, d'un ton cinglant :

— Tu m'avais pourtant garanti que tu serais en mesure de l'écarter pour de bon. Ce sont tes propres mots, non ? Comment puis-je te faire confiance pour la suite de mes plans si tu n'es pas capable de te débarrasser d'une adolescente trop curieuse ?

Le Diable est sur le point de répliquer, mais l'homme lève la main, exigeant le silence. Il reprend, d'une voix plus douce, mais toujours aussi glaciale.

— Je me suis chargé du grand-père et, en échange, tu devais t'occuper de la fille. Tu me déçois, tu sais. J'avais de si grands projets pour toi. Je devrais peut-être songer à te remplacer. Tu aurais des noms à me conseiller ?

Cette fois, le Diable pousse un rugissement qui fait trembler le crucifix sur sa base. Agrippant son commanditaire par l'épaule, il l'oblige à se retourner pour lui faire face.

— Je maintiens ce que j'ai dit. Il me faut un peu plus de temps, mais j'en viendrai à bout. On ne se moque pas de moi impunément. Je vais d'abord punir Mathilde pour lui montrer ce qu'il en coûte de contrarier mes plans, puis ce sera au tour de l'adolescente. Je sais déjà à qui m'adresser.

L'homme repousse la main griffue de son épaule et prend le temps d'épousseter son manteau. Puis il sourit de toutes ses dents.

— Très bien. Je te laisse donc à tes projets, je dois m'occuper des miens. Toutefois, je te préviens, ne t'avise surtout pas de me décevoir une seconde fois, ou tu le regretteras.

Puis, sans un regard en arrière, l'homme se dirige calmement vers l'avant de l'église, alors que le soleil termine sa course au-delà de l'horizon et que les premières étoiles brillent dans le ciel.

Pierre-Alexandre Bonin

CHASSEURS DE LÉGENDES

La vengeance de Lucifer

bayard
CANADA

Prologue

La caverne est exiguë, et le sentiment d'enfermement est amplifié par les stalactites et les stalagmites qui réduisent l'espace disponible. L'obscurité qui devrait y régner est tenue éloignée par une flamme orangée qui brûle au sol, sans aucun combustible. Debout, face à l'étroit boyau qui constitue l'unique accès, le Diable attend son invité. Pour patienter, il se remémore l'affront qu'il a subi il y a quelques semaines. Une ridicule adolescente a compromis ses plans en échappant à l'emprise de la Dame blanche. Il ne sait pas comment la jeune fille y est parvenue. Pour augmenter sa colère, le fantôme des chutes Montmorency ne répond plus à ses appels. Il a l'impression d'avoir perdu le contrôle. C'est un sentiment qu'il n'a jamais connu auparavant, et cela l'irrite encore plus. L'homme cornu a décidé d'employer les grands moyens pour se débarrasser de l'adolescente encombrante.

Son plan est en voie de se réaliser, et les événements survenus aux chutes ne constituent qu'un léger contretemps. Malgré tout, il espère en finir rapidement, afin de ne pas subir une nouvelle fois les moqueries de son mystérieux commanditaire. Il a l'impression que, s'il échouait de nouveau, les conséquences seraient plus… dramatiques. Ce n'est pas qu'il ait peur ; après tout, le Diable ne craint ni hommes ni dieux. Mais il aimerait bien connaître l'identité de son énigmatique bienfaiteur et, surtout, la nature de ses projets. Il pourrait se contenter de l'aider et de récolter des âmes en retour, mais il a toujours été celui qui trahit. Il n'a pas envie de subir à son tour le même sort.

Alors que le temps passe et que celui qu'il a convoqué se fait attendre, le Diable s'impatiente. Des étincelles jaillissent spontanément de ses cheveux et ne s'éteignent qu'après plusieurs secondes, lorsqu'elles tombent au sol. Il fait le tour de la caverne à plusieurs reprises, revenant sans cesse se planter devant le boyau boueux et bas de plafond. À chaque passage, la flamme qui éclaire la caverne gagne en intensité, au point où la roche commence à rougeoyer et à fondre. Puis, alors qu'il est sur le point de partir à sa recherche, son visiteur fait son entrée.

Le nouvel arrivant dépasse le Diable d'une tête, mais celui-ci ne se laisse pas impressionner. Il contemple d'un air dédaigneux le long manteau de laine noire qui atteint les chevilles de l'homme, son chapeau haut de forme cabossé posé de travers, et la large poche de jute qu'il transporte sur son épaule. Lucifer vient se planter devant lui et lance d'un ton sans réplique :

— Tu es en retard.

Son interlocuteur ne semble pas affecté par la menace, à peine voilée.

Il retrousse la manche gauche de son manteau sur son avant-bras squelettique pour montrer une rangée de montres, allant du modèle à aiguilles à la montre calculatrice. Il sort ensuite de ses poches une poignée de montres de gousset et les jette sur le sol, ouvertes. Toutes indiquent précisément dix-neuf heures. D'une voix grinçante, il rétorque :

— Je suis toujours à l'heure, c'est toi qui es incapable de patienter.

Avant que Lucifer puisse répondre, l'homme poursuit, d'un air ennuyé :

— Alors, que puis-je faire pour toi ? Si tu pouvais être bref, ça m'arrangerait, je dois t'avouer que j'ai autre chose à faire en ce moment. Et je n'apprécie pas particulièrement le… décor ajoute-t-il en jetant un bref coup d'œil autour de lui.

Le Diable serre les dents et tape du pied avec assez de force pour qu'une stalactite de taille moyenne se détache de la voûte de la caverne et s'écrase au sol avec fracas. Si seulement il pouvait le contraindre aussi facilement que les créatures pathétiques avec lesquelles il traite habituellement ! Mais pour cette tâche, il a besoin de quelqu'un de plus puissant ; il doit donc traiter son invité en conséquence. Il reprend donc contenance et sourit de toutes ses dents :

— Je sais que tu es quelqu'un de très occupé. Je te remercie de t'être déplacé. J'ai une proposition à te faire qui va sans doute t'intéresser.

L'homme aux montres affiche une moue sceptique, mais fait tout de même signe qu'il est prêt à en entendre davantage.

— J'aimerais que tu t'occupes personnellement de quelqu'un. Je le ferais bien moi-même, mais j'ai des projets plus urgents qui exigent toute mon attention.

— Donc, si je comprends bien, tu voudrais que je m'acquitte de tes basses besognes ? Je suis flatté d'un tel honneur !

Le sarcasme n'a pas échappé au Diable, qui le balaie du revers de la main.

— Au contraire, je t'offre d'être mon associé dans cette affaire. Nous avons tous les deux beaucoup à y gagner. Je me débarrasse d'une petite peste encombrante, et toi…

Cette fois, l'homme au manteau de laine se montre intéressé par les paroles de Lucifer. Il est suspendu aux lèvres de ce dernier, ce qui n'est pas pour déplaire au Diable, qui s'amuse à faire durer le silence, avant de terminer sa phrase en chuchotant :

— … tu auras accès à des enfants sans défense, ainsi qu'à une proie de choix : une adolescente.

À ces mots, le géant squelettique affiche un sourire aux dents cassées et inégales, entre lesquelles on peut apercevoir des lambeaux de viande en putréfaction. Puis il tend une main osseuse à son vis-à-vis cornu. Une fois l'entente scellée, le visiteur pose une dernière question à son hôte :

— Tu ne m'as pas dit de qui je devais m'occuper ?

— Elle s'appelle Sophie Picard.

Le Bonhomme Sept Heures hoche la tête, puis repart vers le boyau d'où il est arrivé. Le Diable attend que l'écho des pas de son invité se soit complètement estompé, puis il se dirige vers une paroi cachée dans l'ombre des stalagmites, qui atteignent presque le plafond à cet endroit. D'un geste de sa main griffue, il fait apparaître une ouverture dans le mur de pierre et il émerge du Trou du Diable, alors que le crépuscule s'installe dans une explosion de couleurs.

Il contemple avec affection la grotte à laquelle il a donné son nom voilà bien des années, tout en réfléchissant au sort qui attend l'adolescente trop curieuse. Sa voix rocailleuse résonne dans la nuit :

— Tu ne perds rien pour attendre, sale fouineuse ! Le Bonhomme va s'occuper de toi. Et si par un hasard extraordinaire tu réussissais à t'en sortir, j'ai bien d'autres tours dans mon sac. Tu verras ce qu'il en coûte de contrarier mes plans.

Puis, sans un regard en arrière, Lucifer se dirige vers le village de Saint-Casimir.

Membres de la Confrérie des chasseurs de légendes

Thomas [Grand Veneur] : il est le chef de la Confrérie, celui qui est responsable du recrutement et de l'accueil des nouveaux membres. On ignore depuis combien de temps il dirige le groupe. Il porte un intérêt particulier à Sophie, peut-être à cause de la malédiction dont celle-ci est victime. Il est très discret sur sa vie personnelle.

Pierre [Bouton] : il est le plus jeune membre du groupe avant l'arrivée de Sophie. Il fait office de mascotte, mais il est surtout l'assistant de Pauline. Orphelin, il a été recueilli très tôt par la Confrérie, qu'il considère comme sa famille. Il était responsable de la majeure partie de la filature de Sophie.

Père André Bergeron [Berger] : c'est un prêtre jésuite qui a choisi de servir Dieu au sein de la Confrérie. Ses études l'ont amené à s'intéresser de plus près au Diable et à ses serviteurs, ainsi qu'aux créatures du folklore biblique. Les membres de la Confrérie qui souhaitent se confesser s'adressent à lui. Il est responsable des célébrations liturgiques dans le groupe.

Natasha Saganash [Handesonk] : elle a grandi dans le village de Wendake et connaissait Laurier de réputation, avant de le rencontrer lorsqu'il a rejoint la Confrérie. Elle aurait voulu être chamane, mais elle ne possédait pas les dons nécessaires à cette fonction. Elle a donc choisi d'étudier l'histoire des Hurons-Wendat, afin de conserver la mémoire de son peuple. Elle s'intéresse aussi au folklore des autres communautés autochtones à travers le Canada.

Pauline [Déterreuse] : en plus de s'occuper de la bibliothèque bien garnie de la Confrérie, c'est elle qui tient les archives du groupe. Véritable mine d'informations, elle est la mère adoptive de Pierre. Elle a une mémoire photographique et possède des connaissances étendues dans de nombreux domaines.

Laurier Picard [Valet de limier] : grand-père de Sophie ; il a été recruté par Thomas peu de temps après la naissance de sa petite-fille. Ses connaissances du folklore canadien-français sont très étendues, ce qui faisait de lui un membre important de la Confrérie. Il a consigné son séjour dans le groupe dans un journal qu'il a légué à Sophie à sa mort. Il connaissait l'existence de la malédiction familiale, mais n'a pas réussi à trouver le moyen de la lever. Officiellement, il est mort lors d'un accident de chasse.

Jean Lecours [Piqueur] : père de Sophie ; il a été recruté dans la Confrérie par Thomas, alors que Sophie avait trois ans. Il ignorait alors que son beau-père, Laurier Picard, en faisait également partie. En raison d'absences inexpliquées et de signes de comportement violent, sa femme a demandé le divorce. Son métier de chauffeur dans l'armée lui sert de couverture pour justifier ses nombreux déplacements. Jean guide Sophie lors de son intégration à la Confrérie.

Sophie Picard [Suiveuse] : adolescente de seize ans ; à la mort de son grand-père, elle découvre que les créatures fantastiques du folklore québécois sont bien réelles, et qu'une mystérieuse Confrérie se charge de les étudier et d'empêcher des contacts meurtriers avec les humains. Elle mène des recherches pour tenter de lever la malédiction familiale, car elle est convaincue que le Diable est en possession de l'âme de son grand-père. Grâce à ses rêves prémonitoires, elle est en mesure d'entrevoir le passé et le futur.

Bestiaire

Baleines de la Rivière-Ouelle : l'esprit de baleines blanches tuées par des pêcheurs avares de la Pointe-aux-Orignaux, qui reviennent hanter les marins. Elles seraient chevauchées par des diablotins brandissant un fouet.

Bateau fantôme de Gaspé : un trois-mâts toujours en flammes qui apparaît les jours de tempête, au large de Gaspé. Le capitaine du navire a enlevé des Amérindiens pour les vendre comme esclaves en Europe, au XVIe siècle. À son retour à Gaspé, lui et son équipage ont été attaqués par des guerriers micmacs et leur chaman. Ils ont mis le feu au navire, et le capitaine et ses marins ont été maudits.

Dame aux glaïeuls : une créature qui apparaît sous les traits d'une femme envoûtante. Elle est entourée d'un halo lumineux et porte un gros bouquet de fleurs. Quand elle trouve une victime, elle lui tend ses fleurs pour ensuite se précipiter vers elle et l'étrangler.

Dame blanche des chutes Montmorency : le fantôme d'une jeune femme qui s'est jetée dans la chute, vêtue de sa robe de mariée, après avoir appris la mort de son fiancé sur le champ de bataille, à la frontière de Boischatel et de Beauport.

Diable : dans le folklore canadien-français, on le retrouve souvent sous la forme d'un cheval noir, qui est invoqué par des curés pour construire une église. En effet, le Diable adore passer des marchés avec les humains, en se débrouillant toujours pour qu'ils soient à son avantage. C'est lui qui permet notamment aux bûcherons de faire la chasse-galerie pour rejoindre leurs familles durant l'hiver. Qu'on l'appelle Satan ou Lucifer, il est l'un des personnages fondamentaux du folklore québécois.

Feux follets : lueurs en forme de flamme, de couleur bleue, jaune ou rouge, qui flottent dans les airs au-dessus du sol ou des eaux. On les observe surtout dans les cimetières. Ce sont des âmes en peine piégées dans le Purgatoire.

Hère : aussi appelée « bête à grand'queue » ; on ne dispose d'aucune description claire de cette créature, si ce n'est qu'elle possède une queue rouge, longue de deux mètres. Elle se nourrit des campeurs et bûcherons trop aventureux.

Jacks mistigris : ces créatures hantent les forêts, où elles font des rondes et des sarabandes autour du feu. D'apparence et de tailles diverses, les jacks mistigris sont mi-humains, mi-animaux, et n'ont que la peau sur les os. Leur haleine est d'une telle puanteur qu'elle signale leur présence à des kilomètres à la ronde.

Loup-garou : le loup-garou est un homme qui se transforme en un loup énorme les soirs de pleine lune. Toute personne mordue par un loup-garou se transforme à son tour lors de la pleine lune suivante. On peut le tuer d'une balle en argent dans le cœur.

Nain jaune : une créature des îles de la Madeleine, qui apparaît uniquement aux femmes en âge de se marier. Le nain jaune leur promet d'immenses richesses si elles consentent à l'épouser. La seule manière de s'en débarrasser est de lui demander pourquoi il est jaune.

Panthère d'eau : la panthère d'eau est une chimère de plusieurs animaux. Elle possède des cornes de daim ou de bison, le corps ou la queue d'un puma, et d'autres animaux qui dépendent du mythe. Cette créature du folklore autochtone est censée vivre dans les plus grandes profondeurs des lacs et des rivières. Quelques traditions voient les panthères d'eau comme des créatures protectrices et serviables, mais dans la plupart des cas ce sont des bêtes malveillantes qui apportent la mort et la malchance.

Ponik : monstre du lac Pohénégamook, dans le Bas-Saint-Laurent. Il aurait été vu pour la première fois en 1874. Si sa légende n'est pas très importante dans la région, un dynamitage effectué en 1957-1958 a ravivé l'intérêt pour Ponik. Selon divers témoins oculaires, il aurait la forme d'un canot renversé, avec une crête de couleur brune ou noire sur le dos.

Rougarou : le rougarou ressemble au loup-garou. Il est humain durant le jour, mais la nuit, il se transforme en créature à tête de loup. On ne peut lever la malédiction du rougarou qu'en versant son sang. C'est une créature carnivore qui se nourrit de chair humaine.

Sirènes du golfe du Saint-Laurent : un petit groupe de sirènes vit à l'embouchure du fleuve Saint-Laurent. Ces créatures possèdent un torse de femme et une queue de poisson. Elles se nourrissent des pêcheurs imprudents qu'elles attirent près des récifs avec leur chant mélodieux. On retrouve des mentions de sirènes aussi loin qu'en Grèce antique, dans les récits d'Homère.

Wendigo : il s'agit d'une créature du folklore autochtone. Son nom signifie « cannibale maudit ». Le Wendigo arrive par temps de grand froid, alors que la famine décime les communautés. Il se nourrit de chair humaine, et sa morsure pousse les humains au cannibalisme. Il a toujours faim et doit constamment se nourrir. Le cœur du Wendigo serait constitué de glace.

Remerciements

Avant d'entamer l'aventure de « Chasseurs de légendes », jamais je n'aurais cru avoir besoin d'autant de gens dans un projet d'écriture ! Je veux donc profiter de l'occasion pour vous remercier, vous qui avez collaboré, de près ou de loin, à l'aboutissement de *La colère de la Dame blanche*. Tout d'abord, un immense merci à Thomas, éditeur extraordinaire. Tu m'as non seulement donné ma chance en tant qu'auteur, mais tu m'as aussi suivi, épaulé, encouragé et légèrement brassé tout au long du processus. Merci à Annie, sans qui le plan de ce premier tome n'aurait jamais vu le jour ! Merci à Aurélie, Sarah et Patrick, pour vos commentaires éclairants et judicieux sur le premier jet. Vous m'avez permis de donner une nouvelle profondeur à mon intrigue et à mes personnages. Merci à Émilie, qui m'a relu, qui a répondu à mes nombreuses questions pas toujours pertinentes et qui a géré mes angoisses d'apprenti écrivain. Ce roman ne serait pas le même sans toi ! Finalement, merci à mon épouse Geneviève et à mes enfants, Béatrice, Philippe et Louis. Merci d'être dans ma vie, de me rappeler qu'au-delà de l'écrivain il y a un mari et un père. Merci de me faire rire, pleurer, rêver. Vous me faites sentir vivant et me donnez la force d'avancer dans mes projets. Finalement, merci à toi, lecteur ou lectrice, qui as choisi de rencontrer Sophie et de te joindre à elle pour un voyage éprouvant. J'espère que tu te plairas dans le monde que j'ai créé pour elle !